莲花

庆山 著

北方联合出版传媒（集团）股份有限公司
万卷出版公司

初次出版于2006年

『序言』

2000年1月，出版第一本书，短篇小说集《告别薇安》。这本书集结了我在1997、1998年期间写作的故事，大多是在一夜之间随意写完，如同一个文字游戏。包括当时随兴而起的笔名，安妮宝贝。那时我不知道自己的未来。

很多人写着写着就不写了，或者渐渐消失不见。我一直在写，写了十六年，直到此刻当下。我也已说服自己相信，人的一生，会有需要做的一些事情。我来到这个世间游玩一遭，一直在认真和专心对待的，有写作这件事。

2014年，这些以往的书版权到期，重出单行本。

小说系列，是短篇小说集《告别薇安》（2000年1月），长篇小说《彼岸花》（2001年9月），长篇小说《二三事》（2004年1月），长篇小说《莲花》（2006年3月）。长篇小说《春宴》（2011年8月）单独发行，不收入这个系列。

散文系列，是《八月未央》（2001年1月），《蔷薇岛屿》（2002年9月），《清醒纪》（2004年10月），《素年锦时》（2007

年9月）。《眠空》（2013年1月）单独发行，不收入这个系列。

回头一望，所有小说作品的内容，未曾脱离过爱欲、死亡、思省、探寻这四个主题。我关心的是人内心的问题，有时对声色世界兴趣不够投入，对时代和大话题也没有兴趣。但实际上并没有区别。色是空，空是色。在故事中一个小人物的生涯中，物质世界和大小时代一直在刻下它们的烙印。这些生涯也最终归于无常空寂的洪流。一切殊途同归。

在散文里，我写的都是自己的记忆和观察。散文更温柔也更危险一些，因为我通常会直接站在文字的前面，没有任何隐遁。

在变化的是写作的心态、技能、思考与阐释的深度。从《告别薇安》读到《春宴》，或者从《八月未央》读到《眠空》，仍有很多跳跃式的区别。有些作者二十多岁一出手即不凡，并且把这种不凡一直定型到老去。我不是这种模式。刚出来时无知无畏，文字颓废、即兴、放任、一意孤行。之后一路跋山涉水，山高水远。渐渐觉得远处更远，高处更高，自己更微渺。

有些人的文字是跟着自己的心走的。我以文字追踪自己的生命。

在《莲花》之前的早期作品里面，这颗心还曾有很多困惑、疑问、悲伤、负担。写至《莲花》，看到了一些重要的事情。《莲花》

仿佛是一种开启。到了《春宴》《眠空》，感觉获得更多自由。其间从此地到彼地，走了很多年。但我并不感觉虚度。也没有任何抱悔或遗憾之意。

其间，我把很多时间给予了生活的尝试和动荡，并且把这些变化，与无数目的不明的旅行，一一写在文字里面。我的性格，一贯不喜欢逃避或退缩，对任何人和事，总是选择直接迎面上去。书里的人也大多这样处事。但这并不是在写我自己的故事。在文字里，有很多人的故事和回忆。

我们与任何一个他人其实都是彼此组成，彼此融化的。情感、精神、追索、实践的方式也是平等如一。所以人与人之间，不管如何相隔，最终能够相会，并在心的深处产生深深的连接。在一个故事里读到自己并不奇怪。如果尝试用真实而感知的心去写作，看到的也会是整个世间或所有心灵的存在。而不纯粹是一种个人化虚构或想象。这里面有许多隐藏或直率的真意。

这十多年，一路前行，身上聚集了各种判断、定论、争议、是非。但那些试图贴在我身上的标签或各种折射，对我来说，从未显得重要，比过往云烟还要淡薄。每个人各取所需，在一部作品里，看见的不过是自己的心。心心相印也好，南辕北辙也好，都是极为自然的反应。书只是一面镜子，在阅读之中，用以照见自己。我也一直试图以文字成为自己的镜子，走到和照见自己的更深处。

如今重新出版，再次翻阅旧作，早期的一两部作品的确不是很成熟，但大概有它们自己的语言和性格。对我来说重要的是，在这些作品里面，看到自己的心路历程，挣扎与实践，点点滴滴，细微如实。与文字一路冲刷磨砺，穿过大河，想汇入大海。

我始终认为，生命该如何真实而尽力地度过，是对我们来说唯一重要的问题。而思考、创作、行动、阅读，这些推动我们。

谢谢你们陪伴了我那么久。我会继续往前走，心无旁骛，心有自在。

从二十余岁写到如今，已近中年，现在名字改为庆山。

庆山

2014年4月6日 北京

Padma.

目次

我又看见一个新天新地，因为先前的天地已经过去了，海也不再有了。

[圣经·启示录]

第一场

梦中花园

「1」

凌晨时分，她听到房间里的细微声响。仿佛是同室陌生男子在黑暗中起身，摸索着穿上衣服，打开门走出房间。微光清凉，他身上的白棉衬衣在门角倏忽不见，如同飞鸟在夜空掠过的羽翼，没有留下痕迹。日玛旅馆窄小的木楼梯，踩上去咯吱作响，承受不住负担的重量。睁开眼睛，侧耳倾听。窗外有沙沙的雨声，像小时候养在硬纸盒子里的蚕，蠕动在大片桑叶上，彻夜进食。旺盛而持续的声音。雨水的声音。

无数次，她曾经希望某天在这样的时刻醒来。可以看到拉萨的夜雨，看到它们以神秘的姿态出没不定，在万籁俱寂时降落于高原的山谷和地面上，直至清晨结束。可是在此地停留的一年半中，她从未曾失眠。睡眠强悍，每次一碰到枕头便昏然入睡。也许是空气中氧分含量的减少，使脑子供血的速度缓慢，有类似麻醉般的轻微眩晕，是高山症的一种反应。只是自己并不得知。

醒来时。早上七点左右。天色大亮，晴朗天空，雨后朝霞绚烂分明。夜色的声响与喧嚣消失无踪。旅馆窗下是邻近藏民的平房，屋顶上彩色幡旗在风中哗然翻飞。遗留下五六处小小的湿润水洼，未被即将破云而出的太阳蒸发。大地苏醒之后，恢复暴烈干燥的气质。

她对他说过，这里的雨，如同神迹，不被窥探。它们自行其事，不与人知晓及猜测。你不会在世界的任何一个城市，看到这样的雨水。它是你所能感受到的奇迹，近在咫尺。与你曾拥有过的任何经验迥然不同。它们是被庇佑的暗示。

在随身携带的笔记本里，她摘录了一段十九世纪欧洲探险者古伯察神甫对拉萨的描绘。在这本粉白绢面的笔记本里，有一些繁杂而琐碎的摘录。有些是从阅读过的涉及各种学科的书籍中所得，断续的不连贯的诗歌及日记。撕下一些图片或杂志资讯页面，夹在其中，包括植物、食物、人像、地方志、设计素材等。偶尔夹杂一些线条质朴的铅笔素描，刻画建筑或小物体的细节。还有用圆珠笔抄下的潦草小字。

“古伯察时代的拉萨是一座很活跃的小城。虽然城中的三分之二居民为僧侣，但不会使人真正感到它的宗教气氛……该城的混合特征：对照比较富裕和贫穷（假装的富裕和忍受的贫穷），商业的诡诈和静修生活的纯真无邪，贵族们矫饰的举止和游牧民的庸俗。它提供了各种职业、志愿、民族集团和种姓的例证：铁砧的噪音、念诵咒语的单调声、螺号声、市场上牲畜的嘶鸣声。

“在白天有藏族人、汉族人、蒙古人、克什米尔人和面色深暗的不丹人，他们在欢笑，在喃喃地祈祷，当然也采购和出售东西。这一混杂人群仅有一部分人生活在拉萨，其他人则是过境的旅行者、流浪乞丐、来自该地区寺院的僧侣们，有时还有必须从事数月旅行才能到达这里的农民和商人。

“拉萨主要以两种商品而著名：羊毛织物和输往中国中原的神香。唯有藏族人才生产这些商品。金属加工则始终被非常精巧的艺术家们所垄断，这就是喜马拉雅地区特有的金银匠、铸造匠和铁匠……”

她对文字本身有痴迷，一个字一个字轻声阅读。它们的排列组合散发新鲜迥异的气氛，似乎与所置身的地方并不产生联系。在这里。夜雨只会与漫长迷惘的时间随行，整夜覆没荒芜灰色的高原城市。如果它可以被叫作一座城。但是有时候她觉得它更像一座被湮没的宫殿，废弃在藤蔓丛生寂然无声的古老森林之中。壁画，寺庙，佛。匍匐跪行的人群。投射距离更为接近的阳光，人和天空的联系如此密切。

「2」

她所滞留的日玛旅馆。一所日渐破落的家庭式小旅馆。旺季旅客大部分钟情于装修光鲜的新旅馆，它们通常位于北京东路的两旁。而古老的旅馆则隐藏在分岔的曲折小巷里，位置偏僻，只接待寻访而去的回头旧客。日玛里面有看了LP介绍之后慕名而来的鬼佬，住得最多的是韩国人和日本人。也有一些欧洲客。它的西餐厅装修简单却有极为正统的菜式。一个大庭院，种满花草。深夜迟归的客人会在水井旁边压动水泵洗澡。

清晨能看到年轻单身女子，披散漆黑长发，一边抽烟一边端着脸盆，走过花园的石板地，去公众浴室洗澡。走廊的木头椅子上，有坐着看地图的人，神情索然。深夜如果失眠，走到那里，也会有人坐在那里失神。有些人已经在这里住了很长时间。有些则只是停留一两夜就要再次出发。走过去借个火，或搭讪几句，都是极其自然的事情。可以随时说话。随时失去踪迹。

他抵达的深夜。门被推开的瞬间，扑进来潮湿清冷的雨水气息。男子卸落行囊，拧开床位边上的壁灯，脱去防风外套。化学纤维质地的精密衣料在空气中生硬摩擦。爬满雨水的玻璃窗被幽暗灯火照亮，浮现出的来自南方的男子，容颜如同二十五岁般的年轻。她看到他的眼睛比他的脸老了十年。因此透露了他真实的年龄。

他说，抱歉打扰你休息。我的汽车半道抛锚，所以深夜才到。

他的语调清淡，并不显得拘谨，仿佛已经与她熟识已久。在出发之前，他上网查找关于拉萨的资料，看到她的名字。一些曾经来到拉萨的旅行者回到城市之后，会在网上的游记或日记里提到日玛旅馆307房间的女房客。每天早上在走廊里熬煮中药，不发一言的古怪女子。身患疾病，不了了之，在拉萨无所事事地滞留。他们猜测她的疾病，无人知道她的过往。只知道她叫庆昭。

九月并不是旺季。她所在的房间，已经空落了一段时间。身边的两张床，不断有人来来往往，那些走在路上的人，从世界的某个角落，通过某种特定的方式：飞机、火车、货车、客车、自行车、徒步……汇集到这个高原之上的城市，停留之后又分散进入西藏的不同地区。

这些曾共眠过长夜漫漫的人，在客房里留下各色体温、气味和声音，拍打起伏如同潮水。她对人有疏离心，不喜欢与人搭讪及刻意靠近以求融合，在气场有设定的一种自觉自控。她的岛屿寂然不动，遵循属于自己的漂移规律缓慢应对变化。这使她觉得安全。她很少与他们对话。她对身边的人逐渐失去兴趣。在他们离开之后，快速遗忘他们的名字、身份、年龄、原住城市……种种。一无所知。从来都不记得他们的脸。

此刻她看到他的美，倒映在河流之中的水仙，自觉自恃，却不知晓这美会令人动容。坐在暗中，淡淡的火光照耀。欲言又止的眼角眉梢，细长拖延。她看到他的第一眼，看到他与这个世间的距离，间隔一步之遥。是这样的男子。恍若断崖独坐凝望蓝色海面心平如镜。

也许在很多年之后，她一样会遗忘他的脸。如同一个人从土中挖掘出来的陶器，把盒盖掀开，看见装满的梅子，叶子青翠湛绿，似刚从晨雾中新摘。被暴露之后不到一分钟，树叶和果子就迅速转黑腐朽。它们不能被空气和光线作用，只能幽闭在禁忌之中。他的质料是她所能触摸的真实可近。却始终不会得知，掌握在旁观者手里的底限，是他内心设标的二分之一、五分之一，还是十分之一……或者更少。

而她将用同样的模式，保留和损坏掉属于他的记忆。

「3」

有时他会在玛吉阿米的露天阳台看到她。她穿刺绣布鞋，肩上裹一块苔藓绿麻织围巾，又笼在头上当帽子，遮挡几欲把人晒晕的阳光。她在下午出现。坐在固定位置的木椅子上，背对桌子，面朝楼下的八廓街以及涌现其中的人群。长时间闭起眼睛晒太阳，一动不动。她喝冰水，或者要一小壶青稞酒倒在未洗净的玻璃杯子里喝。白色的酒液。低俯下头，嗅闻某种难以被捕捉的清香，仿佛正蹑足走过一片花朵怒放的偏僻树林，带着不可置信的诚实。

他已经能够懂得欣赏一个可以长时间不发一言的女子的美。沉默凸显出她脖子和手臂上那些消瘦的轮廓，略微显得驼背，腰部不太能够支撑力气。她对他说过，她是一个写作者。写作者的肉体是以静止力度来支撑长时间伏案工作，肌肉僵硬，脸部表情停滞，只有手指有力而灵活。他们总是看起来精神不振，容易衰老。你很难奢望一个写作者会同时是一个喜欢运动及高谈阔论的人。她说，因为他们的身体平衡能力和口头表达能力会日益退化。如果相反，那么就要怀疑他工作的专业性。

她去八廓街附近的雪域餐厅吃饭。早餐很简单，一片面包，新鲜的甜茶。中午是简单的米饭、蔬菜及咖喱。晚上吃浓稠清淡的酸奶。经常有如她一样独自前来吃饭的女子。坐在靠窗位置的看旅行手册的法国女子。那上了年纪的妇人梳着印第安人辫子，吃完饭点起一根烟，优雅笃定地打发时间。她在鬼佬聚集的地方吃饭。混杂在不同肤色和头发的陌生人之中，听身边一波一波陌生的语言如同潮水起伏。仿佛是来自内心的一种隔离。

甜茶馆通常位于藏式房子的底层。外墙用白石灰刷过，门窗装饰颜色鲜艳的框架，垂着厚厚的布帘。外部因为阳光照耀显得明亮，走进门帘之后，却光线昏暗。屋内低矮，也很小。空气中充溢一股烟雾以及红茶、牛粪和腐烂物的气味。里面坐着穿人字拖鞋装束邋遢的嬉皮士和皮肤黧黑眼神硬朗的当地男子。这些人隐没在阴影中面目不清。喝完杯子里的红茶，默默起身离开。

黄昏街道逐渐沉寂空落。转经以及摆摊的当地人，连同熙攘游客一起，逐渐退去。大昭寺是一艘卸落完所有乘客的华丽船舶。远处隐没于天光之中的青黑色高山更为肃穆。她在广场起身离开，无声经过他身边，像一片单薄剪纸。只有手腕上戴着的银镯发出轻轻的撞击声，叮叮当当响着。这在他的记忆中留下印象。

深夜她坐在床上拿出书来读，怕打扰他的睡眠，不开灯，买了一包白色蜡烛，放在床底下，阅读时就点亮其中的一根。她带来一套《斯坦因探险录》。有时候是卡尔·萨根的《宇宙》《印度教的起源或发展》《老子》或者《古代植物化石史》。一本朴素大方的中英文合排的《圣经》，页边染了红色，就放在枕边。她的阅读无用得接近奢侈。用铅笔在上面画线，并且做笔记。姿态专注。

「4」

他的目的地是墨脱。他用圆珠笔和白纸，写了六份寻找同行伙伴的启事，用胶水把它们贴在自助旅行者最为集中的六家旅馆里面。纸上写着：五天后将出发前往墨脱，欲同行者请联系。留言区的黑板贴满或新或旧层层叠叠的留言，在风中发出声音。大部分是夏天旺季遗留下来的。被提到更多的地区，是阿里或者珠峰，就近的纳木错更是热门地点。并没有人提到墨脱。

他的行李包里有一本一九八二年版的《辩证法史》，封面是四分之一的暗蓝和四分之三的灰白色块，用白色细线分界。纸张在经历二十多年的时间抚摩之后，干燥发黄。他独自坐着的时候，偶尔拿在手里翻动。“按照普遍的自然规律进行的机械的发展是宇宙结构的起源……”第一章是关于伊·康德的论述。他的注意力似一直停留在第一章，有潦草的字迹和画线。其他页面还保留着空白。

在晚上，如果失眠，他会在走廊里的木椅子上坐很长时间，看着天空中被月光照亮的云团，在风中缓慢移动。仿佛他之前曾经被耗费掉的大量时光，如今得到充沛的回报。

他们一起去拉萨博物馆。偌大的展厅在午后只有两三个人。空空荡荡。楼梯走廊里有几张椅子，被从玻璃天顶洒下来的幽凉阳光照耀。他独自坐在那里，再次翻动手里的书。身边房间里，陈列着佛像、藏文典籍、唐卡、乐器、法器、工艺品和陶器。男子这样的静，仿佛要把周围属于古老遗物的光芒，一小束一小束地吸收到身体里面。

她能感觉到他和其他城市出行客不同。拉萨有太多这样的人经过。通常全副精良装备，穿着名牌冲锋衣登山鞋戴着太阳眼镜，开着大越野吉普，咋咋呼呼热热闹闹，拿着高级相机对着司空见惯的美景拍摄（花重金浪费设备和底片），追逐热门的名胜旅行点（其中包括无聊的人工造景），只为洗出那些和风景明信片一样构图平庸的照片，用以回到城市对朝九晚五没有假期的工作者们炫耀。

他们以突破旅行指南上一个又一个的地点为目标，以此作为对自由生活审美的一种臆想。功利而乏味的旅行者。而她喜欢四海为家且又随时随地可以停歇下来静静生活的人。她能够在人群之中分辨他们。

她邀请他一起去旅馆门外的小摊吃宵夜。他起身穿好外套，与她一起打开走廊的门。旅馆晚上十二点就要锁门睡觉，晚归的客人只能大声敲门，所以他们只是把门虚掩，没有锁上。深夜显得空寂的北京东路，有藏族妇女推了三轮车在那里用油锅炸烤串。细竹枝上串着土豆片、蔬菜或牦牛肉。炸热了，撒上辣椒粉和孜然粉就可以吃。他们坐在板凳上等。她把双手插在裤袋里，伸直双腿，舒展自己的身体。清冷的夜间空气令人振奋。

她说，九月墨脱雨季不一定完全结束。有时会延长。每年能进入的旅行者据说只有一百人。这是一条限制级的路线，沿途有塌方、泥石流、山体崩塌。当地人在路上有被山石打穿身体或坠入江中的经历。大部分外来的人没有做好足够的体力和心理准备，不会轻率入内。我想你会很难找到旅伴。

他说，如果找不到旅伴，我会独自前往。我去墨脱探望一位朋友。

她在那里居住？

她四年之前进入峡谷去村里教书。一直没有回来。

这个允诺会有些艰难。你所去的地方，是全国唯一一个不通公路的小县城。以前政府曾经修建过一条从波密到墨脱的公路，但很快就因为频繁的塌方而被损坏和废弃。不能借助任何交通工具抵达。至少徒步四天进入，再徒步四天出来。

是。我知道。

她说，我很久之前，曾在一期地理杂志上看到关于墨脱的介绍。深藏在雅鲁藏布大峡谷的高山谷地之中。这个地名，藏语的意思是“花朵”。至今与世隔绝，不通音讯。在古时候它被称作“白玛岗”，意思是隐秘的莲花圣地。大藏经《甘珠尔》称之为“佛之净土白玛岗，殊胜之中最殊胜”。它是被向往的神秘圣洁之地。

他说，她写信给我，说那里到了春天山花烂漫，满山遍野，有上万只蝴蝶汇聚在那儿。难以用言语描绘。

你一直都是这样的吗？答应别人的事，一定做到。

有些事，貌似答应别人，也许是答应自己。她不会介意。虽然兑现的时间已迟。

那么你之前在做些什么？

劳碌工作。平淡生活。直到失去这一切。他停顿了一下，说，也许我之前从未想过何时去看望她比较适宜……时间并不由人控制。

《传道书》里说，栽种有时，拔出所栽种的也有时。她扔掉手里的细竹枝，点了一根烟。她说，我来到拉萨之前，在北京做了一个手术。身体里面长东西，医生说容易复发，需要尽快结婚生孩子，也许这样会得到改善。但是为了疾病改变自己的生活状态，理由依旧牵强。我想看看自己能够支撑多久。直到时间给我裁决。

第一次见到布达拉宫，从机场抵达的路上，坐车经过它的围墙之下，觉得它灰淡，并不气势惊人。之前在摄影照片中看到它，总觉得是庞然大物，不可逾越的神圣，所以心里有些失望。他说。

很多人与你一样。但在你看久它之后，慢慢会越来越觉得它的巍峨壮美。这个认知的过程反复周折。所映衬和对比的处境，大抵很重要。

为什么在拉萨停留了那么久?

也许这是一座能够以超脱角度来观察现实虚幻特征的城市。它属于任何一个来自俗世的修持者，如果你曾经对生活的真实性产生疑惑……在医院的那段时间改变了我的生活。置身在医院中的病人，所关注的只是身体的感受。任何事物与人，都比不上此刻自我存在的感知来得重要。血、尿液、心电图、疼痛的位置、针头扎入的力度、药丸的副作用、呕吐失眠浑身瘙痒、伤口溃烂逐渐愈合、病灶要得到清理和控制……肉体若不存在，失去意识，心智与意志也将不存在。

……

死亡是真相，突破虚假繁荣。它终究会让你明白，别人怎么看你，或者你自己如何探测生活，都不重要。重要的是你必须要用一种真实的方式，度过在手指缝之间如雨水一样无法停止下落的时间。你要知道自己将会如何生活。

……

夜色寂静。摆小摊的新疆男子已经开始收拾炉灶和椅子，准备绑好手推车撤摊回家。马路边的空地遗留纷杂的垃圾。走过喝醉的年轻韩国女孩，长发漆黑，发出叽叽咕咕的笑声。她大部分时间说话很少，有时却又突然说话很多，并且让人哑口无言。你不能要求一个病人，说出柔和诙谐的语言来寻觅乐趣。那是不可能的事。她几乎不做任何尝试，来说出内心被压抑的彷徨和恐惧。静默滞留是她疾病的核心所在。

她默默看着街道上的夜色，把烟头扔在地上用脚摁熄。天空中有一轮黄色圆月，云层浓厚。她的脸上再次显露出习以为常的冷淡表情。站起身来，说，明天我带你去看西藏最早的一座寺庙。桑耶寺在山南，雅鲁藏布江的北岸。需要坐船渡河。我们住一晚上再回来。

「5」

门被打开。白光和喧哗涌入。瞬间沉没于炙热的海水。那是大厅里憋闷浑浊的空气，大堆聚集着要办理手续的人群，皮肤和荷尔蒙的气味。陌生人的身体，在两边像潮水一样被哗哗地推开。她看不见他们的脸，只听到车轮在水泥地面上发出吱咯吱咯的生硬摩擦的声音。护士推着手术车穿越人群以及气浪，朝着电梯行进。

男子走在手术车的后面，穿着衬衣，个子不高，在跟进电梯的时候，他站在她的左侧，用身体挡住电梯里其他人的视线。他的肩膀有不动声色的镇定。她想不起来他的名字。手术协议书上是他签的名字，协议书必须由直系亲属来签字，所以他对医生说，他是她的丈夫。他站在她的身边，陪她签署一张一张输血或者手术风险的承担说明。她根本就不阅读那些文件，只是催促他快速签字。如果没有记错，这个男子，她两天前刚刚与之相识。

疾病跟随太长时间。走路时都能感觉到它在体内的重量。左侧身体持续地酸痛麻木，从腰腹一直延伸到膝盖处。晚上睡觉，疼痛贯注在肌肉和神经里。它盘踞在她的体内，仿佛一枚饱满的果实，充满褐色黏稠的血液，随时都会爆破。她能感觉到它在腹腔中振动的温柔频率。是设置的一枚定时炸弹。

医生把病历交给她，说，做手术吧。身体是容器，盛载着你的精神和情绪信息。它需要释放。她在报告单上看到自己充满缺陷的人生。撒下的种子在发芽。颠沛流离和精神抑郁，给了她回报。仿佛终年不见阳光的种子，在泥土缝隙中获得机会绽放，生长出枝叶扩展蔓延。肉体成为一棵不断要结出果实来的充满欲望的树。

她走出门口的时候，门诊走廊上的黄昏阳光穿透寂寥的灰尘。人群面无表情地擦身而过，各投归宿。幸福依旧冠冕堂皇，异常遥远。附近治疗室里，传出一个老年男子哀痛的叫声。叫声浑浊，无能为力，穿透空气，在走廊上徘徊。她同时听到轻轻按动红色开关的声音。她的计时终将明确开始。生与死，得与失，浅薄的痛苦与快乐，一向就只有薄薄的一层界面。甚或那原本是透明的，命运来去自如，连一丝惊动的声音，都不需要发生。

她说，我们其实并没有权力选择自己的人生。这是无望的事。

电梯抵达五楼，推向手术室的大门。她仰躺在手术车上，手里抱着手术时要用的输液袋。头上戴白色帽子，包裹住头发，全身赤裸。病服上衣反穿在上身，肥大裤子系不住腰带，只能围在腰部。她一早起床的时候，给自己穿上一双干净暖和的棉袜。颜色鲜艳的袜子，是她所喜欢的纯正大红。

手术前夜经过五次灌肠，排泄出所有粪便和尿液。再没有喝水和吃任何食物。现在她的身体是初生婴儿般的洁净无垢。整个过程里唯一感觉难以忍受的步骤，是在尿道里插入导尿管。仿佛身体里被插入一根滚烫的钢丝。很快，暴露在裤子外面的透明管子里引出了浅黄色的尿液，完全不受脑神经的自主控制。当一个人的尿液被引出暴露在公众视线之中时，他已经不需要保全任何虚假的尊严。她说。这是非常真实的时刻。

仰面看到通道天花板上的白色吸顶灯，快速掠过，白光刷刷发出声音。这一条路途要通往哪里。一具肉体将被打开，放入仪器，被手和刀具操纵。它并没有人想象的那么珍贵重要。放弃保全和坚固自守。不再需要锦衣美食、按摩修饰，以及芳香昂贵的保养品……它的自我重要性被摧毁，恢复了肉身脆弱和真实感。她的心里一点一点地静下来，如同纷飞大雪之后的寂寥原野。所有的假象和幻觉，在退却和消失。

是的。这一刻我发现自己所曾经执著过的一切都是不重要的。

麻醉师站在她的身后，俯下头轻声叫她的名字，庆昭。庆昭。你听得到吗。穿着白色衣服的女孩脱下一边的口罩，声音轻柔。女孩年轻的容颜，眉眼细小洁净。很久没有人这样温存明确地呼唤她。年轻的麻醉师不过是一个陌生人。

她仰躺在窄小的手术台上，转回眼神，看到身边遍布密密麻麻的仪器，脸的上方，无影灯散发出明亮光泽。手和脚已经被束带牢牢地固定。意识此刻还是清醒的。只感觉到麻木感从头顶开始缓慢地往下走。仿佛飘浮在无风无浪的河面上顺流而下。

手腕上被插入麻醉针头的部位，有锐痛感。针头可能没有插顺，但是她已经发不出声音。这是她第二次被全身麻醉。她痴迷这种感觉。痴迷麻醉。即将可以脱壳飞离这具肉体。熟悉的临界点在逼近。蒙住眼睛站在悬崖上，迈出一步，脚下就是黑暗无边的深渊。在一个世界与另一个世界之间被确定的边界。就在此刻，她的内心依旧尚未被完全清除干净，并非空无一物。

是不是大部分的人即使在离开这个世间的时候，心里依旧带着种种犹疑和困惑呢。她来不及思索完毕这个问题，便已扑入这深渊。

「6」

她说，我不知道自己会在何时死去。但是知道自己离它很近。如果你曾经与它擦身而过，就不会忘记它试图捕获你的触觉。你有没有试过给自己做一个心理测试，如果在面前有一个按钮，一启动它就可以没有任何痛苦地消失于这个世间，你是否愿意按它……我的答案一直是，愿意。有时候这个答案令我心生警觉。

她说，我的父亲在三年前去世。他做脑部手术，插着尿管，全身赤裸，在医院里死去，在公众的视线和冰冷尘埃中死去。我不应该让他垂死之前的身体留在医院。如果能够，应该把他带回到家里，让他在自己的床上死去。这样他的尸体可以在熟悉的被子里冷却。那里有属于他自己的气味……

他死的时候，尿袋里的液体依旧温热。我拿起装着尿液的袋子时，那温热留在我手上的感觉，长久未曾消散。而他在一个夜晚之间消失不见。在这个世界上彻底消失踪迹。户口被注销。名字被废弃。他的温度伴随着他的肉体蒸发。再无巡回的途径。

……

有一段时间，我做梦，梦见把他的骨灰吞下去，用一杯清水，一口一口，全部都吞服下去。我把他的骨灰留下一部分带在身边，没有让他完整地入土。在北京每隔四五个月左右就搬一次家，每次搬家公司的大卡车来驮运家具和电器，我的怀中要抱着装骨灰的瓷罐，不能让它被其他人碰触，不能摔破它。带着它迁徙。走到哪里带到哪里。

他说，也许你觉得自己孤立无援。你没有安全感。

她说，我觉得失去手中底牌。开始害怕自己会贫穷会饿死冻死会一无所有。生病之前，我是一个偏执的工作狂，一直有更为迫切的行动力和占有欲。努力工作，想填补内心空洞。我不相信有持久而坚定的快乐存在，因为它总是很短暂，很微弱，仿佛水波荡漾时闪烁的阳光，不能够使人信任。这种感觉稍纵即逝，它不能够成为目标。需要一些更为强有力的东西。需要深入内心的一种强力清除和奠基。

她说，我曾买过一只玉石镯子。我一直希望能够得到一只能陪自己到老到死的镯子。银镯也好，玉镯也好。这样也许死之前可以把它除下来交付给陪伴在身边的人。那个人会是谁。我从不想象有谁会最终陪伴在身边。他们起起落落，不能够让我惦记。那只镯子第二天就裂了一道纹。他们说玉石无故碎裂是挡灾的。这是不好的预兆。镯子裂了之后，我被检查出来疾病已经拖无可拖。

她说，我来拉萨之前，曾经想过自己会如何死去。是在人流量通畅的公众旅馆里死去，还是在空无一人的房间里死去。如果在旅馆，身边的人发现尸体，会得以被处理和告知。即使他们只是一些陌生人。陌生人只对半死的人有恐惧感，因为他们畏惧负担责任，不能自理的一半生命，带给人危险。已死的，就只是清扫垃圾的问题。但如果在城市的高层小公寓里不为人知地死去，就只有宠物或蛆虫来啃食腐肉。

每个人都应该提前写好遗书，因为人随时会死。我的父亲，喝完早上的稀饭，在从座位上站起来的时候，脑子里的血管破裂，血充溢脑袋，瞬间就无法说话，无法移动。穿的衣服里，塞着记事本，里面罗列他这一天和后一天要做的所有工作，密密麻麻的事情，包括他的日标、计划、不满和自责。这一切挣扎和企图全部作废。他做了一次脑血清理手术，昏迷三天之后死去。死亡比生命更容易获得机会。我一直想知道他临死前的感受……

他说，但是很多人蒙住眼睛，以为自己会一直无损而长寿，甚或不朽。他们相信自己的手里永远都有时间。可以肆无忌惮，做浪费和后悔的事情。总是认为能够再次获得机会。

她说，我去纳木错的时候，带着一本在拉萨小书店里买的《中阴得度》。你已在脱离这个尘世之中，但你并不是唯一的一个。有生必有死，人人莫不如此。不要执著这个生命，纵令你执持不下，你也无法长留世间，除了得在此轮回之中流转不息之外，毫无所得。不要依恋，不要怯懦……我阅读这本书，在海拔4817米的高原半岛小旅店。深夜听到此起彼伏的凄厉狗吠。冰雹砸在帐篷顶上，发出响声。口干舌燥，呼吸困难，难以入睡。清晨推开门，看到湖边连绵的念青唐古拉山脉在阳光照耀下白雪皑皑。

如果我们在这个世间的光明已谢，是否会前往另一个地方。

「7」

来。来。善生。跟着我来。

黑暗中，他睁开眼睛，看到自己依旧是九岁的少年，睡在东南沿海故乡的老房子里。明式白墙黑瓦的院落，木楼梯陈旧不堪。梅雨过后，木质老房子潮湿阴冷。壁纸被黄褐色的雨迹冲刷得一片斑驳，墙脚处散发出苔藓的气味。在身体发育期间，他非常嗜睡，每天早上几乎都醒不过来。这一刻，天色未亮，无故惊醒，心里尚是惘然。睁开眼睛，看到母亲默默站在床边，脸色平静，唇角却轻微抽搐。他看着母亲，突然心里一亮。

他对她说，我看着母亲，突然心里一亮。母亲没有开灯，站在暗中，轻声说，爸爸想吃块腐乳，你去街上店里买一块回来。他便穿上衣服和球鞋，接过母亲递来的几块硬币，打开房间的门，走到巷子里。南方城市的春天凌晨，四五点钟。雾霭里有冻得渗透到骨头里的寒气，天上的星光还未曾黯淡。他听到自己的脚步声噔噔传过蜿蜒狭窄的小巷石板路。两旁的玉兰树，盛开大朵钝重白花，受惊坠落，扑打在树下的泥地里。

父亲在他九岁的那年春天去世。长年拖延的癌症街坊邻居早已经熟知。高大男子被折损得面目全非，最后瘦得只有七十斤重。只能吞咽流质食物。稀薄米汤，拌上葡萄糖，由母亲一勺一勺喂给他。再后来已无法进食。

他眼看着一个人的生命被慢慢推入暗中，被一只无形的手按捺搓揉，不容置疑，力道惊人。一定有一些事情，是人所不能自主。他已经明白。他与母亲，送别一个肯定要离开的人，且这送别因不断被拖延而失去了情感的韧性，无法保持适当的充沛激情。而这已被界定的时刻，一定会到来。他最终等来时间，与生命中唯一的一个男性，做正式的告别。

买好腐乳跑回家，亲戚们已经拥挤在设置了灵堂的院子里，灯火通明地祭奠。冥币碎片和燃尽的香灰在风中飞旋，空气里都是呛人的烟火气。他穿过人群走进卧室。父亲的尸体还摆在床上，穿着簇新绸缎寿衣寿鞋，面容僵硬。他站在旁边。他不过是个孤单的年少孩童。突然觉得非常疲倦，只想回到房间里继续再睡。

母亲说，来。来。善生，跟着我来。她带他回房间。他脱下衣服，在微微发蓝的黎明交接时分，再次躺回到床上。闭起眼睛。想不起来父亲的脸。这种对感情的控制，不轻易让自己难受的性情，和他的母亲相似。因为生活折损带来时时缺失，必须对无法得到的东西以合理的理由淡漠处之。母亲收起所有男子的照片，一张都未余下。男子的灵牌用白绢包裹收进抽屉里。一切死者的痕迹被彻底抹煞干净，才重新开始生者的生活。她是这个小城市里的中学物理老师。母亲的世界里，坚韧自知，习惯以科学分析一切，因此清洁分明。但那未尝不是一个简单粗暴的世界。

那年九月他以每门接近满分的成绩，进入省重点初中。母亲拿到成绩单之后，带他去甜品店吃冰激凌。这寡言聪慧的少年，喜欢吃甜食。母亲说，善生，你要清楚你的方向。清华建筑系，这是全省前六名的男生才有可能获得的希望。我们是孤儿寡母，生活并未给我们放纵和沉溺的机会。你需要一直控制自己。明白吗。他一言不发，慢慢挖下杯子里的草莓冰激凌送到嘴巴里。

他一直渴望能够离开她。渴望走到对岸，检视她的苦难，而不是必须与她携手并进，应对世间变迁。即使他来自她的血肉，那也是不能够的。他的人生不应无辜受到她的苦难牵连。他不想成为任何一个人的儿子。他是纪善生。他渴望得到完整的自己。但是生活不由自主，一直被母亲的意志所驱使和推进。所有携带着荣誉的身份像标签一样，一枚枚地累计，才足以成全母亲。成全她在清寒残缺的生活中更为彰显的好胜和倔强。

他说，我知道自己可以做得更好，或逼得更近，但不愿意。这种逆反心理，无法违抗。仿佛接近一种羞耻感。母亲此后再未嫁人。她需要我清楚她所做出的牺牲，这是她的代价，需要我回报。我一直不能够与她亲密相处。一边百般顺服，一边充满叛逆之心。

他与身边那些脸上长满粉刺为汗臭的袜子或黄色录像带而困惑的同龄男生截然不同。他们喜欢冲向足球场大呼小叫，而他只埋下头去努力学习，用以抵挡生活的缺陷面：丧父、郁郁寡欢不如愿的母亲、家庭缺陷、被胁迫的自卑情感处境……他清楚自己努力背面的所有动机，却无法判断这动机的性质和起因。他从来没有尝试放纵自己，因相信克制才能带来理性。所关注的，始终是学业功课，以及从来没有松懈过的自我成长。

已经是卓尔不群的少年，五官清秀，身上的蓝色卡其布长裤，白衬衣，球鞋，更显得干净妥帖。一双黑眼睛如有千言万语，低垂下来的时候，睫毛像阴影覆盖，不流露任何心绪。他的内心，有一处寂寥的小天地，只用来自我沉醉。课余骑着自行车去市立图书馆看书。每周都去借书，翻阅科学画报杂志，借厚厚的《欧洲文明史》。在那里可以一直坐到有人过来催促离开。

记得每次在图书馆消磨时间，门外倏忽间天色已黑，空中星光闪耀。他带着书，骑上自行车离开，一段上坡路，骑得快而迅疾，仿佛拼了命一样。下坡的时候，两旁的香樟树被惊动，叶子纷纷坠落，清香扑鼻。他闭上眼睛，张开手臂，任车子带着身体飞速下滑。风在耳边呼呼生响。此时才觉得胸中酸楚，眼中似有泪意。额头上都是汗水。

「8」

他睁开眼睛，看到她坐在床边，安静地抽一根烟。她说，时间不早，我们可以出发了。她已经收拾好一只简单背囊，只等着他醒来。她像往常一样，穿着简单的印度麻上衣、绣花鞋，仿佛只是出门随便逛逛。他们一起拿着背囊走出旅馆。在对面的小饭馆里吃了早餐。绿豆粥，小小的炸得焦黄的油条，蘸着酱油吃有一股韧劲。加上茶叶鸡蛋，小份的泡菜。这样一份简单的早餐大概是一两块钱。搭小巴车到桑耶渡口，然后坐上开往北岸的渡船。

坐在船尾，等待将近一个小时的漫长的渡河时间。除了水流有规律地拍击木船，周围没有任何嘈杂。大片流云徘徊在天空与江河之间的开阔地。风很大，吹过来略带寒意。他们观望江水，以及江面边际云朵绵延的天空。沿途看到河滩、矮小土瓦房、狗、老人、孩子。大棵黄色阔叶树，映衬着透亮湛蓝的天色。秋日静谧悠然的田园风光，与拉萨有所不同。雅鲁藏布江平缓流淌，周围起伏着高大而坚硬的山脉。船夫站在船头上，突然面无表情地唱起歌来。藏语民歌，嗓音粗砺，拖着风格性的蜿蜒长音。

这是他们的习惯。她说，他们每次划船都唱，也许是出于寂寞，只是唱给自己听。她仰起脸，眯起眼睛看着天空，把脸完全暴露在午后剧烈明亮的阳光之下，享受紫外线在皮肤上的暴烈抚摸。阳光穿透云层，热辣辣击打下来，像直接的棍子打在脸上，留下灼热痕迹。她的脸已经被晒得黝黑、干燥，毛孔粗大，颧骨上渐渐出现和当地妇女一样的高原红晒伤斑。但是她从不回避太阳。她喜欢和它亲近。紫外线把她晒得像一只烤熟的面包，皮肤黑得似会发出光来。她只在小店铺里买过一瓶廉价的搽脸油，香气拙劣，但抹在脸上的油脂成分也让她觉得适宜。

她说，这是我的第十六趟。我经常一个人坐船去桑耶。现在有些明白为什么中国古人说，同渡一艘船还需要修上百年的缘分。从此岸到彼岸，要心意执著，目标相同。渡河看起来仿佛一个仪式。

他说，你去寺庙只是为了看壁画吗?

她说，是的。桑耶大殿一至二层转经廊内有西藏技艺最精湛的壁画。那些壁画等了一千三百多年，只为与有缘的人一期一会。有些破损得已经非常严重。因为光线昏暗不见天日，才得以保存到现在。

你在拉萨也经常去寺庙吗?

拉萨并没有太多可去的地方。看壁画是独自一人可以做的事情。寺庙的僧人已经认识我。他们把我当做当地人，不收我门票。那些壁画，大部分在讲述佛的生平、经变、古典经文中的故事和传奇。阐述他们对宇宙和人世的观点。壁画可算是他们宗教仪轨的一种。描画本身就是一种敬仰，它不是一个过程。它是一种完成。

他们在黄昏时抵达，先趁着天光尚亮，进入寺庙看壁画。他跟着她沿着陡而窄小的石头阶梯慢慢往上走，听到她在前面发出轻轻的喘息声音。她对这座地形复杂的寺庙了如指掌，带着他沿着圆环形的转经回廊慢慢看了一圈。然后走进阴冷的殿堂里。在阳光剧烈的室外逗留太长时间，突然走进内深的房间，眼前一片黑暗，如同盲目。

他在暗中努力分辨那些陈旧的壁画。大幅大幅的壁画，已经被时光磨损得黯淡发黑。色彩华丽，精美绝伦，花纹反复，仿佛是被海洋覆盖之后的沉船，带着时间另一个终结点的回音。那是另一个无法被进入的世界。佛像上剩余的金粉还在隐约闪烁。她伸出手指，借着昏暗的光线，在距离它们十厘米左右处轻轻模拟着抚摩。手掌在空气中无限尊崇缓慢移动。整个大殿里面空无一人，似乎被整个人间遗忘。酥油灯的光微微跳跃。

她说，如果你即将出发去墨脱，我可以跟着你一起去。

为何。这本来不是你的计划。

我无任何计划，只是滞留在拉萨而已。任何事情都可以临时做准备，这样才说明我们一直是在行动的准备之中。一切都不算迟。

他说，是。不算迟。

她说，你的朋友，是怎么留在那个地方的。

她起初在西藏工作，为地理杂志拍摄大峡谷的照片。进入之后，她留在那里教书。她是个胡作非为的人。在隔绝的地方生活不觉得有任何不适。不看报纸不看电视，认为繁杂的新闻报道与信息其实与人真实的生活没有关系。大峡谷是她成年离开家乡之后，停留时间最长的地方。比她抵达过的任何一个城市和地方，都要长久。

不管如何，这是需要付出极大意志的事情。

是。一直到现在，我也并不认为自己完全了解她。她的内心也许有一个跋涉苦行的云游僧，不需要世俗价值的赞同。但是我一直生活在城市之中，自认为健康和强壮。像所有城市中的人群，习惯享受物质和生活表象的愉悦。

你几岁的时候认识她。

十三岁。我们始终是彼此唯一的朋友。

她把他带到大殿北侧一个被废弃的小房间里，让他看墙壁上更为斑驳而破损的壁画。上面是诡异的兽类图形，边缘被磨损得模糊的莲花和佛像。打开一扇破旧的木门，正对空旷的平原。远处山脉之间隐约露出雪山峰顶，在暮色中寂静地闪烁着蓝光。

暗淡阳光往墙壁上的图案中间跳跃，发亮。他走过去，调整视线的角度，以便能更清楚地看到那些古老拙朴的线条。她说，你看，只有这里的壁画采用纯粹天然的颜料。红色的是珊瑚，蓝色的是青金石，绿色的是松石。它们上千年都不损坏，只会败落。她靠在门框边上，看着远处的雪山，点起一根烟。飞快地抽了几口，又飞快地摁熄。

走出房间，走廊上依旧是灼人眼目的烈日。在庭院的花园中，有一个僧人装束的男子在黑色木块上雕刻佛像，地上堆着更多的木块。他们站在一边观望。然后她悄悄地离开了他，走到转角的一段屋檐处，拿出手里的相机，拍下描绘在木门隔断上的清雅古典的植物。

她说，桑耶寺没有拉萨的哲蚌寺热闹。后者在雪顿节时会有盛大的节日。在晒佛仪式上，他们在山腰的岩石之间展示巨型佛像唐卡，信徒和游客从拉萨的各个方向汇聚到此。人们燃烧松枝，唱歌跳舞，一直狂欢，仿佛时间没有尽头。而这里，总是那么寥落。很多旅客对它表示失望。他们没有关注这些壁画。不知道它们在岁月之中的坚韧和珍贵。

他问，这是你最喜欢的一处房间？

是的。坐在这里时间长了会入睡，房间很阴冷。我怀疑这是小喇嘛的休息室，你看那些壁画，和大殿里的不同。它们显得格外天真忧伤。仿佛是他梦中的花园。

「9」

来。来。善生。跟着我来。

他在黑暗中睁开眼睛，听到她站在木门之外，用手电筒轻轻拍打他的床所紧贴的墙壁。手电筒的光头朝下，圆柱形直光在地板上扩散出光晕。身边的少年们在酣睡中蒸腾出皮肤和头发的热气。他悄悄在洒进房间的月光里起身，穿上卡其布长裤、白衬衣、球鞋。拿起身边装着广口玻璃瓶的书包、一根手工制作的纱布扑罩，走出房间。

她等在楼梯口，穿白色裙子，光脚。黑色发辫和赤裸着的小腿在昏暝微光中隐隐发蓝。伸出食指轻轻堵在嘴唇上，示意他跟在她的身后。寺院的走廊长而狭窄，只有她为他打过来的手电筒光圈照耀前路。他手里拎着球鞋，每迈出一步，就听到上百年的腐朽樟木承受不住重量，发出吱咯吱咯结构分化的声音。心跳如撞鹿。来。来。善生。跟着我来。他内心略有犹疑，但是已经来不及。窗外隐约扑过来的大海的潮声。转过脸，看到一道倏然而至的洁白闪电划过夜空。

他们一前一后走过深夜的海滩。这座被浩淼海水包裹着的岛屿，在东南海域被传言为一个圣地，佛教传说观音曾在此修行。整座岛上建满面向西方的寺庙。一年的不同季节，这里都是旅行者和朝圣者的聚集地。夏天的时候，来冲浪的旅客会更多。他记得的它的样子，是他十三岁时参加校际夏令营的夏天看到的。是他来到这座岛屿上的唯一的一次。

大海。一轮黄色圆月照耀海面。闪烁着粼粼碎银般的波光。潮汐在月亮的牵引之下，重复起落轨迹，不断汹涌上前，在岩石上拍打出浪花，又缓慢倒退，留出一片冲刷之后起伏不定的沙滩。低沉的回声。似乎还在撞击之后的情欲欢愉中轻轻呼吸。

他的脚陷入冰冷的泥浆之中。一步一步，走向夜色。前面的女孩子，手里撩着裙摆，轻盈跳动地奔跑。细碎笑声，无一幸免被潮音覆盖。她的洁白身影，一次次奔向大海，又一次次转身逃遁回来，陶醉在旁若无人的游戏里面。潮水打湿裙子，紧紧包裹住幼小的身体。遥远的海天连接处，有渔船灯火。他看到一个浪潮紧紧跟至她的背后，把她追逼到沙滩上。她发出快乐的尖叫。空气黏稠湿热。是八月的盛夏。

在通往树林深处的小径入口，她停下来，转过脸看着他。两只球鞋用鞋带连接起来，搭在脖子上。赤裸的脚和小腿缠满海藻绿丝以及泥浆。额头上的刘海全部湿透，发丝沾在脸上。因为奔跑，脸颊上的细小血管全部膨胀，像盛开了两朵烂醉的花。

她说，你害怕了吗。她的上嘴唇有一处微凸的边缘稍稍牵动，看起来很温柔，却又带着微薄嘲讽的设定。这始终是她面对他时无法改变的一种肌肉习惯。仿佛在质疑这一个问题的时候，她并未分清设定的对象。仿佛她对他的质疑，同时也是对自己的质疑。

他不动声色地站在她的对面。他的沉默就是对这个问题的涵盖。不用区分他或她。不需要解答。她始终是信心不足的那一个。他虽然貌似可疑，却比她更清楚自己的选择所在。如果说有惶惑，那也只来自夜色本身的神秘。黑色的树林在她的背后，仿佛一处洞穴。深入之后完全不知归途。但是他跟随着她进入。

在潮湿闷热中，他闻到百里香刺鼻的气味。走入灌木丛中，繁杂枝叶扑面而来，摩擦过手臂和脖子上的皮肤。有生硬的小小蛾类张开翅膀仓皇地飞离，撞疼了他们的眼睛。他紧紧地跟随着她的手电筒光圈，以及光圈之中跃动着的白色身影。直到他们在一条小河边停下脚步。

无数的萤火虫在半空中带着光亮飞行，栖息在树枝和草丛之中。她的头发和裙子上有发亮的萤火虫停在上面。闪电更加频繁地掠过天空。清凉有力的雨点开始落在他的嘴唇上。他看着这个黑暗神秘的全新世界，心剧烈跳动，几近从胸腔跃出。这样疼痛难忍。他跌跌撞撞地走入河流之中。水面上的月光抖动着。被捣碎的水银。周围寂然的山峦黑影，是匍匐而沉睡的野兽。

就在此刻，他看到她沉默地脱下身上的白色裙子，像一条鱼，扑通一声，俯身跃入水里。

第二场

黑暗回声

「1」

她曾教给他捕捉以及饲养蝴蝶的方法。蛹虫被放在青翠绿叶的树枝上，需要适宜的湿度和温度。透过封闭的纱罩，可以看到幼小蝴蝶破蛹而出，日日吸吮小树枝的新鲜汁液，抖动绽放的翅膀，尝试莽撞飞行。她对幼小的异体生命充满好奇，似乎是探索静默的同类。她渴望了解和沟通一切真实的事物。她对他说，我们和蝴蝶都是由相同的物质组成的。在生命的分子核心，蝴蝶的本质与人类相同。

他们一起饲养过一种灰绿色的小粉蝶。而她最为向往的是绿鸟翼蝶。这类蝴蝶有一对屏风般坚定的紫蓝色翅膀，只存活在巴西的热带雨林之中。翅膀上有华丽得令人眩晕的圆环形花纹，两条深绿色的粗壮触角。狡黠的眼睛。难以轻易寻觅和观望的事物，构建成她内心超越现实表象的信念。她从不服从任何生活的表面。

十三岁。他说。她插班到我所在的学校读初中。春日阳光淡泊的午后，出现在班级里的陌生女孩，老师让她在黑板上写下自己的名字。她转过身，努力伸长了手臂，来回选择，最后在黑板左上角一个偏僻位置里，写下笨拙幼稚的三个字：苏内河。一笔一画，认真执著。手腕上戴着一只粗重的圆环形银镯子，在她的手臂上起落。再转过身来，她穿白衬衣、蓝色布裙，光脚穿着一双球鞋。粗粗的麻花长辫子拖在胸前。眼睛湛亮。

她是瘦而拘谨的女孩，右脸颊有一颗大而浑圆的黑痣。多年之后，他在一个电影女星的脸上，发现与她同样位置同样的黑痣。非常神奇。那个女星长得很漂亮，来自江南桃花般鲜活的面容。他一直觉得她们很像，经常观看她拍的电影，是她秘密的影迷。他始终不清楚她们哪里像，肯定不是漂亮。苏内河从来都不是漂亮的女子。

女星从十六岁演戏演到三十岁，始终保持一种少女的姿态。她们不只有一颗相同位置的痣。她们的气质，都有一种逼取便逝的苍老天真，像被扔在深深海底封在瓶子中的灵魂。这灵魂属于同一个时期和质地，在被封禁的时候就停止了一切生长和成熟。只是在逐渐地死去。她们不会变老。不会衰竭。只会消失。

虽然是小城市，所在的省级重点中学有百年历史，所以学生都有强烈的优越感。班里女生通常穿白棉袜子、擦得光亮的丁字皮鞋，把头发扎成高高的马尾辫。内河的皮肤不知为何，晒得黝黑光亮，最爱在夏天赤着脚。即使是白衣蓝裙的校服，穿在她身上也是吊儿郎当的模样。自行车骑得飞快，笑起来声音响亮。后来他才知道，六岁之前，她一直在海边村庄里长大。成年之后被寄养在城里舅舅家，接受学校教育。

女生们不喜欢这个言行古怪的女孩子，对她采取孤立及漠视的态度。老师也都对她头疼。她上课睡觉，迟交作业，数学物理化学经常需要补考。没有礼貌，也不整洁，脾气桀骜，从不讨好任何人。但若参加知识竞赛作文比赛，就是非常好的选手，能拿回骄人的名次。语文、历史、生物、地理的成绩也都出人意料的好。她在班级里没有任何朋友。除了纪善生。

他一直都受女生爱慕。已经有胆大的女生学会暗示，交作业本的时候，故意把本子重重地往他桌子上一撂，摞成一沓的本子就散落在桌面上。女生站在旁边挑衅地侧身等待，想他发话。他不动声色，伸手把本子一本一本重新叠整齐，非常镇定。围观的同学就此发出长长嘘声。嘘声中的纪善生，无可避免成为女生的暗恋对象。甚至连高年级的女生都闻名来教室外参观。善生在男生中的人缘因此更差，接近被孤立。

男孩子聚众打篮球踢足球，从来不叫上他。他也不热衷任何体育运动。性格孤僻。是习惯把自己与身边的人隔离开来的少年。他的精神世界习惯了独自来往，没有同伴和呼应。某种使命感，像一条沾着火焰的鞭子抽打着灵魂，从未得到过安宁。母亲的严厉和强势使他觉得与女性之间没有亲近感，并且轻视身边那些轻浮且一脸蠢相的女生。

他是学校里出类拔萃的男生。有严格的家教和被老师信赖的严肃品格。但这不能阻止他被她吸引。他很少意识到她是一个女孩。她特有的独立自在的中性气质使她像个没有性别的朋友。她不同于那些对他有模糊恋情萌动的女生。她们仰望他，设置他头顶的光圈，对他无所适从。而她一开始就自动选择站在他的身边。

他们是彼此唯一的朋友。但这是属于他们的隐秘，不与任何人得知和分享。一直到他们初中毕业，在课堂或大众环境之中，从来都不交谈一语，连眼神的交流都杜绝。她具备引导他内心蠢蠢欲动的心灵的能力。很难说明这种能力所在。一种不容置疑的能力。人与人之间的彼此影响，接近一种分子组合导致的气流方向变动。这神秘的蕴意不属于理性判断范畴。它不能被解释。一切自然存在的规律，都是被事后注释。那是多余的。

只有她会对他说，善生，看。看天空西南面的那团云。于是他就抬起头，看到城市的开阔天际线被夕阳晕染的晚霞，绵延伸展，花团锦簇。他们在回家的路上，骑着自行车，开始追着那团云，上坡下坡，飞快疾驶，掠过的风把地上落满的樱花花瓣成片地惊动起来打转。一直追着云团骑到月湖边上。

她叫他一起坐在湖边闻不同植物散发出来的气味，她查阅辞典知道那些树的名字和习性。就像她会借阅厚厚的英国版本画册，看到恐龙化石绘图，前角龙、可畏龙、巨龙、梁龙……各种各样的恐龙骨骼，完整形状草图及说明，还有一些并不能完全看懂的英文注解，整个人趴在书上，一边看一边发出咝咝的吸气声音，兴奋得难以自禁。他们的世界清净自在。一直坐到黄昏，看完湖面上血红的日落，才一起骑车回家。

「2」

他的母亲跟所有的人一样，不喜欢她，并有反感。她们只有过一次照面。母亲对他说，这个女孩子不是好好读书的人。太贪玩好奇。心根本就收不住。所以她每次去他家里玩，总是从后门的花园墙壁翻爬进去，直接进他的房间，从未让他母亲再发现。有时说着说着，天便黑了。她磨磨蹭蹭不提起要回家。他出去和母亲一起吃完晚饭，等母亲进了自己房间，就悄悄从厨房拿些食物，给躲在房间里的她吃。

年少青春活力充沛。两个人做作业，或者在房间里默默看书。在学校里都是寡言的孩子，彼此聊天却滔滔不绝。只是厮守在一起。他渐渐觉得倦了，自己也不知道何时爬上床，兀自睡了过去。半夜醒来，发现她还没有走，睡在他的身边，背对着他。一头黑发湿漉漉蒸腾出热气，脸埋在枕头里面，身体蜷缩成小小的一团。窗外照射进来的洁白月光，笼罩着一对不知时日长久的少年。

她也醒了。坐起来梳理头发，把黑亮的发丝细细地编成辫了。凌晨四点半。她得回家。他们的家在同一个新村里，走路不过十分钟。回去挨骂是肯定的事情，但她并不慌张。她的舅舅家早已经习惯她的夜不归宿，知道她经常会住在朋友家。也知道她的独立，一定会安全回来。

她干干净净的发辫搭在腰背上，仿佛来时一样。他睡眼惺忪，在暗中看到她的眼睛。那眼睛过于明亮，浸润在水光之中，映衬淡色的阴影，仿佛随时都会有眼泪滴垂下来。他内心惘然，忍不住摊开手心伸向她的眼睛。

她已经站起身来，说，善生。我要走了。背好书包，打开房间的门。

他送她到小花园的围墙下。那是二十三年前的春日凌晨。故乡花园里茶花正在绽放。鲜红繁复的花瓣，一层一层铺垫。这样扎扎实实地开着，沉浸在露水中轻轻呼吸。她折下一朵，用嘴巴咬住花枝，把书包挂在胸前，灵活地攀上围墙。骑在墙头上，呼出一口气，脸颊因为用力而变红。站在下面一脸紧张的他，困意已消。清凉晨风吹拂。天边浮现渐渐绚烂起来的朝霞。

让我们去小河边看日出。善生。她说。她再次试图诱惑他。他摇头，你该回家睡觉。你太贪玩。她咯咯地笑起来，仿佛早就预期到这个答案，只是把那朵茶花随手插入发辫里，翻身下墙，转眼便不见。只听到外面传来清脆的声音，善生，再见。再见，善生。她骑着自行车，发出咯哒咯哒的链条声音，很快就消失在发亮的春日天色之中。

「3」

他在梦里见过她的家乡。她对他描述过她来到城市之前生活的地方，一个海边的村庄，名字叫儒雅。她在儒雅出生，长大。从没有见到过自己的父母。母亲生下她之后就消失踪影，杳无音信。五年之后带来消息，原来先去了毛里求斯劳务输出，后又辗转到了阿联酋、印度，最后在泰国独自旅行的时候，遇见一个英国男子，与他一起去了伦敦。颠沛的生活结束，也有了钱，终于可以照顾女儿的生活。她寄来抚养的外汇，让舅舅带她到城市接受教育。

母亲是她生命里的第一只蝴蝶，接近传奇的生涯，远走高飞，不见踪迹。而父亲，她说，从来没有任何一个人对我提起过他，仿佛这个给予我骨血的男子，从来没有存在过。仿佛她的出生不是母亲经由与一个男子精血的结合，而是一条大河带来了一个注定要被离弃的女儿。

母亲在分娩之前，在梦中曾见到一条汹涌翻腾的大河。她说。这是外婆从小就对我说过多遍的回忆。母亲看到的河，由高山顶上的雪水和雨水融化而成，平静宽阔，闪烁宝石般璀璨的银亮光芒，跋涉过山峦平原，穿越村庄，漫过家里的门槛，当堂穿行而过。河面上绽放出一朵一朵的花，像粉红色的灯笼，飘浮着远行。大河就如蛇般缓慢滑行，出了后门，蜿蜒离去。诡异梦魇在酷暑午后发生，母亲醒来之后满头大汗。她跟的是母亲的姓。她在那一年的七月出生。

她对他描述过这个东海边的村庄。并不遥远，只离城市三百多公里。它依旧存在。春天山坡开满紫色的木兰和洁白梨花。山上有茂盛的枇杷树、柑橘树，满山的杜鹃、海棠和野兰花。夏天有浓香扑鼻的栀子、茉莉，一大池塘的红色荷花。蜻蜓多得会飞进家里的庭院，停栖在晒衣架上休息。

孩子们从小就一起结伴去海边摸螺蛳，捉螃蟹，捞鱼，晒海苔和紫菜。去山上采果实，打鸟以及捕捉昆虫。他们站在岸边对着停靠过来的渔船和货船欢呼，它们带来外界的消息和物品。带来包装精美的上海饼干、电影海报、报纸、邮件和书籍。有时船夫会允许他们爬上船舱。

他们习惯了一起走几十里的山路，翻越山岭去另一个村庄交换食物，走累了就在竹林里休息，用竹筒舀清凉的山泉畅饮。所有的生活都敞开在天地大海之间，存在的方式自然而然，就如同这个村庄已经存在了上百年一样。

儒雅居民的祖先是一位常胜的将军，因为他的勇气和显赫战绩，被准许老了之后带着他的后代来到此地繁衍。古老的祠堂供奉他身着全副盔甲的塑像，香火不断。历代家谱也在那里。儒雅的孩子是他的后代。她说。我们并不畏惧天地之间的变化无常。我们是海边长大的孩子。是将军和大海的后代。

因为可以停泊船只，儒雅成为远近闻名的商业繁盛之地，临近村落的人都会聚集过来交换货品。每个月初一、十五的集市，是非常热闹的。她说。集市是盛大的宴席，充满人间烟火的喜乐和熙攘。鹅卵石铺成的主干街道，挤满人群和摊贩。蔬菜、肉类、水果、海鲜，各类腌制品、熏品、干果，各种金银器、瓷器，家制的甜品、酒、糯米粉点心，手工纺织的布匹……全都摆上街。孩子们带着狗，一路穿行于木房子林立的幽暗巷道，奔向人山人海阳光明亮的大集市。

除了集市，儒雅另一个如同天堂的记忆，是每年夏天的台风。大雨滂沱，下足三天三夜，她说。如果正逢海洋潮水上涨，奔腾海水会漫过沙滩和堤岸，跨过木头房子的门坎，覆盖地板，穿越墙壁，直扑向村庄的主干街道。鹅卵石街道，全部被带着白色泡沫的咸味的海水淹没，飘浮着从房间里冲出来的食物、物品，狗和鸭鹅在水面上游泳。整条街道成为海水汇集的河流，孩子们兴奋地冲到室外，淋着倾盆大雨，在缓缓涌动的潮水之中，大叫，嬉笑，玩耍，奔跑……天地阴暗，闪电和轰雷交相辉映。村庄幽暗曲折的石头巷道和窄窄的台阶，一次一次被雨水覆盖。

大棵的樟树、梧桐树、柳树被劈倒吹断，长满绿叶的树枝随潮水飘浮，散发出辛辣清香。晚上睡觉，床要放在高高搭起的桌子上。没有电。只能点蜡烛。整个房间都在水波之中摇晃，仿佛随时都会被冲散而去。这样的台风天气，持续到雨过天晴。然后潮水就会迅疾消退。街道和台阶又浮显出现。烈日白光预示酷暑盛夏真正拉开序幕。

她对着目瞪口呆的他，讲述完毕，然后俯身撩起裙子，给他看她腿上的伤疤。卷起衬衣的袖子，手臂和肩膀上也有。那是在潮水大雨中玩耍被木头或石块撞伤之后留下的痕迹。一些零星分布的红色小伤疤。在左边肋骨的下侧，有一条长约五厘米的缝线疤痕，色泽倒是淡了，但依旧触目惊心。她说，被一块木板上的铁钉划开的，缝针之后打了一星期的吊针才好。这样的伤疤清算，让他那平淡无奇的巷子中的童年，显得相形见绌。

他无法控制自己的嫉妒之心，轻描淡写地推开她，说，好了，我要去做功课了。于是结束这根本就不能对等的聊天。

「4」

来。来。善生。跟着我来。她在暗中对他轻声呼唤。她靠近他，明确地识别他。他是一个沉默孤僻的少年，只关注考试总分在整个年级里的排名。而她探究广泛的事物，百无禁忌。九月天体星座会发生如何的改变。候鸟如何飞越它们的漫长旅行。恐龙可以分为蜥臀目和鸟臀目，有五百七十一个种类，在中生代末期全部灭绝……他们的目标和方向完全不同，如同两条来自同一条源头的支流，各自蜿蜒前行。

她需要可以用来彼此印证的分享者。也许她识别他并不自知的向往。她诱惑他。印证胜过结局。她不负责任的态度，在一开始就带着浪迹天涯的叛道者特性：带着无法被理性处置的痛苦进入任何一种可能性。纵身扑入。直到这种可能性成为她虚空的提前设定。所以她制造不同时段不同类型的牺牲品。她不为这分享设定权利，也无解释说明。

他们去树林收集萤火虫并且彻夜没有归队。老师和同学全部出动，寻找他们。这样的事情，在这所重点中学里几乎史无前例。桀骜不驯，个人主义，自我中心，脱离组织集体，没有秩序和服从……他们使身边的人遭受恐慌和愤怒的折磨。次日被找到的时候，老师被气得嘴唇发白，当即呵斥内河，要给她处分。

他被有共识地忽略了。她甘心情愿接受惩罚。她捕获了他，强行侵入他的世界，不容置疑。只听到吱呀一声，门缝开启，光线瞬间照亮所有被隐藏起来的蠢蠢欲动。他从未预期到引领的力量如此强盛。她捕获了他的心灵，带他跌跌撞撞、疼痛难忍地进入她所知觉的世界。

他只知道他将依旧并且始终地需要她。她是截然不同的介质，出现在他的对面，让他看到从自己身上延伸出来的另一个自我。虽然他总是犹豫不定，并不确信这另一个自我是否被内心需要。那个在深夜悄然起身，忍受着剧痛心跳，扑入大海和黑暗树林的出逃者，和穿着白衬衣在全校师生面前担任升旗手缓缓拉起旗帜的优等生，哪一个是他更心安理得的真实灵魂。他的荣誉和羞耻，他的典范和错误，纠结在一起。年少单纯的他，不能够分辨。

这使他在很多年后，即使在成功的表象之下，也始终围绕着一股怀才不遇的惘然气质。仿佛他的生命一直在两个背向而行的矛盾界面之间犹豫不定，并未找到正确和安稳。

「5」

十六岁的夏天。他直升重点中学的高中部。她的理科成绩太差，进入另一所以文科取胜的重点中学。两所学校在城市的两头。她来他家的院墙下面等他。炎热的夏日夜晚，蔷薇花开得正好。细碎芳香的花瓣撒在她的白色粗棉布裙子上。她光脚穿着球鞋，摘了一朵花咬在嘴唇里，坐在自行车的后车架上。自行车的链条还在哒哒地响，她踩着它们玩。

一起骑车去书店买书看。她买了一整套的《约翰·克里斯朵夫》《苏格拉底群岛自然史》《基督的人生观》《贝壳的自然史》《荣格心理学》《原子学说》……她的阅读面比他广泛得多。喜欢与他探讨问题，读完同一本书后互相交换意见，有时候甚至为此特意写很长的信给他。买完书，找了一家冷饮店，两个人一边吃冰激凌一边讨论刚刚崛起的国内先锋派小说家的小说。他们同时痴迷上一个手法优美而阴郁的南方作家，孜孜不倦地谈论他短篇小说中的暴力倾向和孤独偏激的少年。

那是二十世纪八十年代末的岁月。单纯的年少时光。他们是七十年代中期出生的孩子。生活的起伏变化错落，仿佛影影绰绰的风景在身边闪动。但一切似乎又与他们无关。他们生活在自己的内心之中。一个纯白的小天地。

不知不觉又到了晚上十点多。他必须回家。她拖拖拉拉不愿走，说，善生，我去你家里再待一会儿。她照旧又爬了小花园的墙壁进去。他把她关在房间里，去客厅和母亲寒暄过场。在卫生间冲完澡，回到房间，发现她爬到他的床上，已经入睡。那一天她的话特别多，状态亢奋，所以累得也快。两个人躺在一起，依旧是两小无猜，照例背对背地，开始入睡。

她的辫子太长，拖在他的枕头上。他压住了她辫子的一角，一整夜都闻到她湿漉漉的头发散发出来的气息。发丝上的汗味。清香的孩童味道，又像一种小小的幼兽气息。她的毛发长得浓密。半夜清醒过来，发丝的气息变得清淡，已经倏忽不见。他浑身是汗，T恤是湿的。房间里黑暗炎热，只有电风扇叶片摇动着的声音。

她静静地坐在床边，正在用梳子梳理长发，一股一股编好辫子。腕上佩戴着的银镯碰在桌面上，叮当作响。细微声音让他恍惚，以为依旧是在梦中。天空隐约发蓝，还是一片昏暗，墙上的蔷薇花开得如火如荼。是以前每次临走之前的样子。他努力睁开困倦的眼睛，支起身来问她，你要走了吗？她背对着他，答非所问，低声说，我非常不喜欢自己。

他隐隐感觉她经常不愿意回到舅舅家，而宁可在外面逗留。英国的生母不断寄钱过来，舅舅又是知名商人。她比他有钱得多，出去的时候经常豪爽地主动付账，虽然他坚持要各自分担。她的经济富裕，生活安稳，没有像他这样的心理压力。那是她第一次对他流露出内心的彷徨。也许是从未被亲生父母抚养、长期寄人篱下的生活使她自卑。而这种自卑构建了她少女阶段隐秘羞耻的精神层面。

她说，善生，舅舅对我素来温和慷慨，但无法代替我对一个男子的期许。一个可以扑到他的背上，骑到他脖子上，对他撒娇，向他需索食物、玩具、感情的男子。我一直想得到这个人：不管我做了任何事情都会依旧爱我，不会离开我。有时候我故意激怒别人，疏远别人，发脾气。没有缘故地哭。我是不容易被讨好的孩子，喜欢摆出恶劣的姿态使别人为难，以此认证自己对感情的向往。

她说，我需要感情。善生。很多很多的感情。我对感情有过度的贪心和嫉妒心。我幻想某天能够见到亲生父母，能够与舅舅舅母表妹和睦相处，能够喜欢身边的很多人，与他们有亲密的关系……但我知道这很难。我看到自己心里那个黑色的大洞，总想用力来填，又因为敏感害羞，不愿意让他们观望和触碰到这个洞。我对别人不够亲近。重复地要别人做出证明，但从没有得到满足。我真的不喜欢这样的自己。

他在黑暗中听着她轻声的话语，一时不知如何回应她。她说，长大之后，也许我不会觉得这样是种无能为力。你有想过自己以后会有什么样的生活吗？除了如你母亲所愿地考上重点大学。以后呢？再以后呢？

他说，我不知道。也许这些对我来说，已经足够我暂时什么也不想。

她说，你给自己设置的只是目标，你想使它成为你唯一想要追寻的，因为它使你感觉安全。理性使你能够把需求和付出做对应。我们是相似的人，如同充满了激烈渴望的空瓶子，你在其中填充的意志要比情感多，也许你相信意志比情感有力。你这样优秀，善生。但是你整个人是一个巨大的伤口。你不爱自己。

「6」

他们并没有对即将开始的旅途做周密的计划。他带了一本西藏的自助旅行书，其中有二十页讲解墨脱，但内容空洞含糊，实际可遵循的资讯不多。她在小书店里找了一本旅行者撰写的书，复印下来其中一张地图。是墨脱的路线图。她用红色粗线画出徒步的路线，绿色细线画出雅鲁藏布江，然后用手指轻轻掠过那些地名。

拉萨，八一镇，派乡，多雄拉，拉格，汗密，背崩，雅让，墨脱，108K，80K，波密。从波密回到拉萨。需徒步的行程是两百多公里。大概每天平均走三十五到四十公里。她说，你看，有一段路途，会与这条大江如影随形。雅鲁藏布峡谷是欧亚板块和印度板块的交界带。我们每天将会在清晨七点起程，走到中午，在树林和河边休息。下午上路，走到晚上六点左右。只有抵达目的地，才能获得食物和住宿。

在出发前夕，购买了睡袋、雨衣、排汗内衣等必要的物品。北京东路两旁，有大量价格便宜的旅行用品小店。为了减少行李，必须去掉一些装备，比如防潮垫、指南针、绳子、刀具、一部分药品。而必需的物品是：手电筒、电池、睡袋、香烟、绑腿、巧克力、白酒，以及创可贴和消炎药。她对装备的想法是能省就省。虽然路途上会有很多难以预料的情况发生，但可以随机应变。最后她在文具店买了五十支自动铅笔，用皮筋捆起来塞入行囊。这是给峡谷里的孩子们的。她说。唯一遗憾的是书太重，不能带书给那些难以有机会走出高山的孩子。

军胶鞋是走墨脱最合适的鞋子，不怕泥泞雨水，随时可以用炭火烤干，穿坏一双就可换新的。六块钱一双。各自买了三双塞入旅行包里。他说，我在北京，有些朋友穿了两千多块钱的进口运动鞋，只用来双休日攀爬一下长城。

她说，安逸而富裕的旅行爱好者，需要的是良好的自我暗示的心理状态。他们拉帮结伙，喧嚣娱乐，留下一堆空易拉罐和塑料袋的垃圾之后，满足而归。他们并不需要大自然，在其中也一无所获。事实上，穿越大峡谷最基本的装备，也就只是三双胶鞋。这是旅行的本质：你的意愿，然后站起来启动脚步出发。如此而已。

她说，我喜欢那些喜马拉雅山的云游修行者的传说。他们在六千多米的高山之上跋涉，据说一天只吃一餐。随身只带着一张毡子、一根手杖，背着虎皮和水壶，赤脚走路。

天色黑得快，转眼已经入夜。他们去餐厅吃晚饭。有一桌子日本来的年轻男子和一个漂亮女生，坐在角落里，一边吃着简陋的食物，一边用日语小声交谈。房间里的灯光昏暗。一个背着行囊的欧洲男子，特意走过来与她打招呼，热烈地用英语告诉她，他在大昭寺外的广场上曾经见过她。她微笑着，冷淡而放松地与他应答。他看到她几乎不和任何陌生人说话。

深夜她听到他在床上辗转反侧，发出声响。她坐起来问他，不舒服吗？他说，感觉有些发烧，浑身燥热，头痛，呼吸困难，无法入睡。她下床，走到他身边，抚摸他的额头，果然是滚烫的。她说，可能是累了，所以有些反应。她递给他药丸和水，说，吃点药，会有些用处。在这里不要硬撑。

他吞服了药丸，说，我想去楼下洗一下脸。

他们下了楼。天井的洗脸台需要压泵取水，她帮他压出水来，看他用清凉的井水洗了脸，把头发淋湿。走廊里有睡眼惺忪的住客，起身去上公用卫生间。房间的门被风吹得吱呀吱呀响。她说，我们可以在走廊里坐一会儿。房间里闷热干燥，你会更难受。

这是出发之前在拉萨停留的最后一个晚上。凌晨一点多。山野间的大风刮得猛烈。深蓝色天空，大团云层被吹掉，显出干干净净的光泽。一轮黄色的月亮圆而寂静。夜晚美好得似乎并不真实。月光暗淡的庭院里，盛开着大簇大簇鲜红色的大丽花。招贴墙上的留言纸在风中发出嘈杂声音，依旧是一堆繁杂的邀请、电邮和手机号码。没有任何回音。

他们坐在走廊的木椅子上。她拿出烟给自己点了一根。靠在墙壁上，看着院子里被风吹动的大丽花。她穿着白衬衣，光脚穿一双木底人字拖鞋。

她说，这是你第一次出来旅行吗？我看到你的旅行包和防风衣都是新的。

他说，工作的时候，也算到过地球上的大部分地方。做空中飞人是职业需要。有时上午还在西半球，晚上就要奔赴东半球。也有度假。马尔代夫的碧蓝海滩，苏梅岛的高级酒店，或者去巴黎的咖啡馆里闲坐半天……你知道，仅仅如此。我不知道旅行的具体概念。我一直到现在才开始做一些事情：辞掉工作，收拾行囊，拿上一本自助旅行书开始起程。前往一个一无所知的荒凉的高原城市。

……

你是不是经常出去旅行？他说。

一年里大概只有两三个月出去。大部分时间我在城市里居住。长年在城市里生活的人会成为依赖性的城市动物，需索城市提供的丰富功能来建构生活，使生活在熟悉的表象之下，按照惯性顺水而去。但我习惯与它保持距离。

离群索居吗？

是。几乎闭门不出。在网上购物、与人交谈，下载书、音乐和电影。很少与别人约会见面。夜深人静时，出去漫步，会嗅到冬日树叶和河流的气味。以及人的皮肤和头发上，所散发出来的老去和孤独的气味……

在北京，有一段时期，她即使服用药物，也整夜无法入睡。她一直希望城市里能够开张二十四小时营业的书店、咖啡店或者桌球店。这样在凌晨一两点，也可以走出家门，寻找灯光明亮的地方，买咖啡、看书，或者找到人聊天。天亮时各奔东西。在没有任何声音的房间里，不存在对照的失眠生涯，仿佛置身于坟墓。她在散步时用数码相机拍下城市黑夜中如丛林般矗立的高楼大厦。

我没有朋友，没有恋人，住在哪里都是一样。喜欢有荒芜感的粗糙的城市。拉萨的荒芜感来自它独特的地貌。北京的荒芜感来自聚集在其中的陌生人。我习惯住在城市里，享用它，却不沉浸入它的生活。能够隐匿在一个隔膜的无人可以对谈的城市中，也觉得安然。

在旅途中你必须习惯身体伴随物理空间的移动。内心流动纷繁的意识和景象，更感觉到它的内向思省……经常在天还未亮的时刻起床赶路。苍茫天地之间，星光暗淡，雾气潮湿，人依旧觉得瑟缩，但必须出发前往下一路。

那年冬天。凌晨五点抵达云南大理。走在古老巷道里，背着行囊，冷风呼啸，周围空无一人，只有苍山山脉高大灰色的轮廓依稀可见。终于找到一家开门的小饭馆，门帘上悬挂着红灯笼。一个中年男子在屋子里揉面团，大锅里有热气腾腾的绿豆稀饭和豆浆。坐下来要了热的食物。冻得浑身麻木，把手指焐在热烫之后迅速变凉的大瓷碗上。门外尚未散尽的茫茫晨雾。天色一点一点变亮。慢慢地，就开始有大狗进来。开始有早起上学的幼小孩子在门口奔跑而过。街道开始恢复了声响、人影和色彩……那样的时段。独自坐在小饭馆里，一边抽烟一边做笔记，看到这个世间的寂寥。这是内心真实沉着的时刻。不属于喧嚣热腾的人群和白日。是只能在旅途中发生的事。

她说，我并不总是在旅行。旅程打破人的生活模式。一个经常在旅行的人，没有秩序和原则，喜新厌旧，充满不安全感，随时变换方向。显得既执著又有太多无情。我只是觉得从一个城市跳脱出来，也许可以打破惯性。人在习惯中获得太多禁忌。这是不好的。

她再次从烟盒里拔出一根香烟。侧过脸，拿出打火机点燃。一头漆黑长发遮挡住她的脸庞，火光照亮她低垂的眉睫，细长的单眼皮眼睛。她的脸像一枚洁净扁平的月亮。她是一个病人与修行者的结合体，关注的两个极端是内心深处及开放性的万物世界，完全过滤掉相隔中间的人世繁杂地段。就像神话中西藏人认为自己是森林猕猴与岩罗刹女结合的后代。

她不属于任何一个普通的女子之中。他知道他可以随她一起上路。一个长年流落在高原静默等死的女子。一个终结旧日生活准备出发的疲惫男人。他们之间的世界被截然封闭，但这是他们彼此之间结成同盟的基础所在。

他拿出那本《辩证法史》，翻到其中一页，旧而薄脆的纸页被风吹得发出声响。他用手指轻轻地抚平纸张，说，这本书是她留给我的旧书。上面有一些她写的诗歌。她总是把诗写在能够抓到的任何一张纸上，所以那些诗注定 边写 边失踪。她并非一个诗人，却认为写诗是人从世间得以回归天上的路径。他把书交给她，说，念一下这首。

她拿过书，看到他翻好的那一页，有潦草的铅笔字迹，犹如幼童所写的字，拙朴天真，笔画洁净。那首诗落款的时间是在七年之前，题目是《出发》。她压低了嗓音，用一种轻而郑重的声音，在起风的夜里，朗读起一行一行的诗句。他把在一阵一阵疼痛冲击之中胀裂般的头靠在墙壁上。闭起眼睛，仿佛已经入睡。

「7」

……

无可置疑，我的爱人
这一刻你必须信任我

黑暗覆盖之前
世界变成火海、灰尘和石像之前

当我们出发的时候，请带上枪支
在肉体屈服在虚空之前，把它自决
带上光年，用以计算你将被忘却的距离
带上已经死去的父亲
带上偶像和崇拜者，被玷污的真理
带上失去踪迹的英雄和他的木乃伊
因为妄图的权柄不在我们手里

带上眼泪和失望，这是力量所在
带上光，并且相信它的终结
……

「8」

在黑暗之中，他又看到那个小旅馆房间。靠近火车站。窗户朝向铁轨。夜行火车汽笛长鸣，轰隆隆呼啸而过。火车轮与轨道的摩擦发出刺耳鸣叫。剧烈声音贯穿身体。这样的间歇，半小时左右就重复一次。他在浑身黏稠的汗水里醒来。睁开眼睛。耀眼亮光直射进来。桌子上的热水瓶、洗脸盆、药瓶、水杯……轻微震动，叮叮当当的碰撞声彼此交错。直到白光退去，火车开出很远。仍无法平息。

房间如同空洞的容器，过滤掉一切声音。他什么也听不见，耳朵里留下嗡嗡回响。空气中有房间长年未清洗干净的肮脏气味，混杂着淡而酸涩的血腥味。另一张床上，背向他而躺的女孩发出沉闷呻吟。这被挤出来的声音，顺着脊椎一路微凉蔓延。他的心是一片裸露着的空地，任谁都可以踩上去践踏。所以他害怕。身体轻微颤抖。眼睛中都是灼热的泪水。

他看到少年在暗中起身，走向女孩的床。她仰躺过来看着他，黑色发辫压在枕头上，被汗水浸泡发出深蓝色光泽。她的脸像一片月光之下的水印，轻轻颤动，额头上渗出细密汗水。好痛，善生……抱抱我。抱住我。她轻声恳求他，伸出手指抓住他的衬衣胸襟。他躺在她的身边，触碰到她瘦而柔软的身体。她的皮肤非常烫。两具年少的肉体拥抱在一起。她一直喃喃地对他说话。因为疼痛，她不能停止说话。

他说，我们似乎注定要在一起互相毁灭。要离开这里。顺着潮湿黑暗的隧道往前赶路，奔向远处的微光。一起逃窜至自由的无人之地。她牵着我的手飞速地跑向对方，使我看不清自己脚下的路径，被她引领。我不想追随她的脚步。试图竭力挣脱她。我一直内心疑惑，我所看到的光，是否与她所认同的，其实根本不同。

他坐在去往杭州的夜行火车上。对母亲说了谎。说这个星期六日不回家，要留校复习。然而他换下校服之后，坐公交车去火车站买了车票，与她一起去往一个陌生城市。这是他第一次出远门。他从未离开过学校、家庭的固定路线。短途的出走使他忧患，所以他在四个小时里一直非常清醒。

玻璃窗外沉浸在夜雾之中的田野呼啸而过。时而闪掠过大片零星的村庄灯火。有光照耀的地方，他看到自己的脸。少年瘦而孤僻的脸，眼神中有阴影一样的怅惘。她侧躺在座位上，蜷缩起身体，把脸枕在他的腿上，闭起眼睛入睡。她发出深沉的呼吸，仿佛对自己所要面对的一切无知无觉。或者说，她并不喜欢暴露出自己的恐惧。她在年少的时候，就展示出一种无所畏惧的镇定性格。这是另一种对自己做出承担的方式。

凌晨时分到达杭州。他们在候车室的椅子上坐到天亮。身边不时有到站播报，大堆熙攘人群来回涌动，呼啦啦，一阵又一阵此起彼伏，仿佛兵荒马乱。空气中有皮肤和行李的气味。她起身去水房用凉水洗了脸。她说，我已经找好医院的地址。我进去之后你只要在外面等我。大概半小时，会很快。不要离开。要等着我出来。

可是他在医院的走廊里坐了很长时间，也不见她出来。等待手术的时间很长，走进手术室之后的时间更长。他是一大堆面目浑浊的成年男人当中，唯一清新干净的少年，无端引起纷纷侧目。他从早上一直到下午，没有喝过一口水，没有吃过食物。阳光直射，照得他眼睛发花。手术室的门一次一次地被推开，女孩子一个一个地出来。一直没有她。

他努力控制呼吸，告诉自己，如果再过十分钟，她还没有出来，那么他将踢开门，进去找她。就在此刻。护士走出来大声叫喊苏内河的家属。他腾地直立起来，双腿在微微颤抖。他的眼睛紧盯着护士手上戴着的一双沾满血迹的橡胶手套。

他跟她进入。一个面无表情的女医生，手里拿着一只白色搪瓷盆，把它直接送到他的眼前。她用镊子拨弄里面一堆暗红的血块，说，你看，看清楚了。吸取物里没有绒毛。她有宫外孕的可能。要小心观察。如果大出血或腹痛，必须马上送到医院来。一股从血块上散发出来的热腥气味，猛然间直扑到他的脸上，熏得他眼冒热泪，一阵恶心，只能匆促后退。忽然听到白布帐帘后面有人发出模糊的呻吟。他听出来是她的声音。脑子里没有反应，径直走了过去。就这样，他看到了她。

她仰躺在妇科手术台上。身边有缠连着电线的仪器，透明橡胶吸管里尚有滞留的血迹。地上扔着吸血用的棉团，散发酸涩浓重的血腥味。下半身赤裸，两条细瘦的腿被分开架起，固定在搁脚架上。她的大腿上沾着几缕鲜血，顺着皮肤淡淡地滑落。抬起脸来看他，脸色苍白，额头上都是汗水，刘海湿漉漉地粘连在一起。清亮的眼泪从眼角毫无知觉地掉落下来，但她的眼神并不悲痛。只是轻声说，过来扶我。善生。我好痛，我没有力气，站不起来。

他的眼睛猝不及防，看到她两腿之间禁忌的器官。黑暗羞耻的内核，呈现在眼前。突如其来的恶，出击如此重力，仿佛被两只锤子猛然敲在眼睛上。他疼痛地闭上眼皮，眼前一阵发黑，几欲站立不稳。

「9」

拉萨到林芝八一镇。四百二十多公里。将近八个小时的路途。劳累的一天，一整天都消耗在车上。黄昏时分，他们抵达，找了一家干净的小旅馆住下。放下行囊，先去办理边防通行证的申请。墨脱靠近印度边境。拿到证件，明天一早就可以出发去派乡。

他在卫生间里剃须，用冷水把脸冲洗干净，对着镜子，轻轻拍上一层带着青草香味的爽肤水。这是十年高级管理层职业生涯保留下来的习惯。很多生活细节最后会被定型成习惯。一个经常需要谈判、开会、交际应酬的男人，必须护理好自己的脸面。他对着镜子，换了一件白色棉衬衣，对着肩膀上方的空气稍微喷出一点古龙水，然后拿上外套，走出房间。

她洗了头发，点着一根烟，站在走廊里等他。穿着一件埃及蓝深绿芍药花图案的棉上衣，宽大的印度麻裤子，头发盘在脑后，戴着银耳环。她的装束一直像个东南亚风格的乡下女子。素面朝天，从不化妆和保养。她说，今天是中秋节，我们去四川小餐馆吃一顿饺子。

他们要了半斤四川老板娘亲手制作的饺子、清炒蔬菜和一份熏肠，还有一小瓶白酒。狭小的餐馆灯火昏暗，高挂在墙壁上的电视正播放一部粗劣过时的港台剧，声音喧扰嘈杂。做完饺子之后，老板和伙计也都开始坐在凳子上看电视。大狗在门口徘徊。晚上的天气阴凉，云层浓重。林芝地区是多雨的，和拉萨的干燥不同。云朵笼罩了月亮，并不能看得分明。

她说，其实我根本不注重节日。几乎从不过生日。经常会忘记日期，不知道几月几日星期几，因为从不戴手表。但这是一个需要分享的节日的夜晚。因为这是我们流连在干净繁华的人群聚集地的最后一晚。

从明天起，他们就要正式踏上进入大峡谷的路线。进入原始森林无人区，就意味着再也不会有带着卫生间的舒服旅馆房间、食物储备丰富且口味精致的餐馆、热闹的人群和便利的交通工具……所有即刻可用货币交换的物质资源。没有信息、商业、娱乐、偶像、新闻、时尚、经济、政治……所有现代社会派生出来的产物。

她对他举起杯子，说，为古老的森林干杯。

一个用白酒和饺子庆祝的中秋节。两个人吃完饭，在微凉的细雨中走到街上。在沿街一个简陋的桌球店里，他们打了几个回合。没有遇见任何旅客。店里冷清开敞，空荡荡的，亮着一盏淡白日光灯。她俯下身体击球的动作利落干脆，把色球砰然有声地打入洞中。

此时窗外的雨变大，已经哗然有声。他们并未对彼此就雨水发表更多想法。九月末已经处在墨脱雨季的末期，它即将结束。但也有可能会延后。持续的大雨会造成山体崩塌。滑坡、泥石流，将使峡谷中那些唯一的徒步小路因这些变化而消失。他们心里明白，但不想交流这些会带来负面想象的事情。

她支起身来，看着窗外的滂沱雨水，点燃了一根香烟，说，这是我在西藏这么久，第一次亲眼看到大雨。我们可以跑着回旅馆。

「10」

她说，善生，我觉得自己心智日益丰盛，点滴细微事物都会动心动容，心里充满激荡，却又觉得心之所至，如同陷入黑暗牢狱，无法动弹，感觉窒息。觉得自己在损耗生命。

她说，善生，我追寻感情。我渴望得到感情。想用自己的方式对待这个世间。

她所看到的男子，不过是与她一起搭上轮渡的过客，夜色中面目不清。她孤身出航，认定这是他们彼此约定的旅程。他俯下身来看她所画的小幅油画。他是她所报名参加的美术辅导课的老师。她没有做实景练习，画的是她想象中的海：用蓝色颜料涂抹出来的波浪掺杂了深紫的泡沫。太阳是明黄色的圆球，没有光泽。在炎热中扭曲和颤动的空气。它们被一根一根地画上起伏的线条。

他在阳光下微微眯起眼睛，似乎被这浓烈的画面轻轻击中。他说，你最喜欢的画家是凡高？

是。他的画有一种儿童画的特征。

在艺术的领域里，创作者跨越一定境界之后，风格会回复简单拙朴。准确的东西，一定是简洁的。他说。

他经常穿一件白色衬衣，袖子松松挽着，不修边幅。头发油腻而邋遢。她为他俯身下来的尊重所吸引。听着他的脚步慢慢走过身边。教室里的木地板陈旧，发出咯咯的轻声裂响。空气中充盈着成年男子的温度和剃须水的气味。

如果有悲剧，那一定是建立在各自崩塌的废墟之上。他不过是一个郁郁不得志的已婚男子。美术学院毕业之后，回到小城市担任教职。微薄薪水使家庭经济总是捉襟见肘，争执不断。妻子性格迟钝，少有言语，下岗已经很长时间。结婚十四年，有两个孩子。十二岁的女孩和五岁的男孩。

男子眼看自己日渐庸碌、发胖，肉身即将被无望的碎片和尘土埋葬。人生有一些眼睁睁进退两难的事情。他说。一个人坠入深渊，跌落的加速度在耳边呼呼生风，知道已经没有挽回之力，除非身旁有某根树枝或藤蔓得以被抓获。或者。她对他而言。一棵春天萌芽的幼嫩枝桠，开着花朵，绽放汁液充沛的绿叶，探入他的空崖绝壁。只是不能够承受这沉堕之重，不过是一起下沉。

她是幼小的完美主义者。不要靠近。不要带着火焰走向我。可是你与我已经抵达。这内心被藏匿起来的煤炭，期许粉身碎骨地燃烧，以此完成自我。她迅猛扑向他。扑向自己的爱情。她的爱情，不过是拥抱镜子中那个寻求自我认同以及感情的女子。把玩镜子里的自己。把玩获得的第一只玩具。无法制止的毒药和麻醉。巨大幻觉中的繁华盛世，花好月圆。

他被这幼小的站立在镜子前的女子引诱。内河。内河。他轻轻呼唤她的名字，她仰望他的年轻脸颊，如同伸展出浓香花瓣的栀子花，一夜之间就要枯谢般的浓烈急躁。丝毫不犹豫。无所畏惧。她凝望他的眼睛，眼神灼热，漆黑明亮，要与之相恋，紧追不舍。她的期许早已启动。像一头幼小的野兽，默默跟踪和注视。你知道，对感情的欲望不能被接近。是。不要靠近。不要带着火焰走向我。可是你与我已经抵达。

她爱上这个男子。他们决定私奔。离开这个城市。不知所踪。

这是一件可怕的事情。他对她说。人的命运有时候被自己瞬间的抉择改变。我少年时获得的所有教训和经验都来自于她。也许她注定是一个始终会被第一个派上战场的士兵。她停不下来。她有危险的使命。她的天性里无法逃脱对战争的嗜血倾向。有时候是对外界的战争。有时候是对她自己的内心。

她说，那个男子又如何会跟随一个比自己小二十岁的女子的决定。

他说，一个失败的人最容易受幻觉诱惑。就像一个快要渴死的人一定会扑向他在沙漠中邂逅的海市蜃楼。他根本没有任何选择。

也许只有两个相似的危险的人才会互相吸引。也许他是和她一样等待火焰的人。

「11」

母亲把从报纸上剪下的报道连同寻人启事，一并寄给他。上级把此事当做一个事故，下了文件要求严肃处理。没有人可以找到他们。他看到登在报上的她的学生证照片，穿着白衬衣，长长麻花辫子。虽然色泽模糊不清，但足够分辨面容。

母亲没有写上只言片语。她相信这个报道已经能够带来强烈的说服力：证明她曾经对他们友情的阻止是正确无误的。证明他少年时结交的的确是一个有缺陷的不走正道的女子。

也许所有的人都已风闻和谈论这件事情。他所在的重点中学，那些优等生们茶余饭后，偷偷围在一起议论，脸上无不带有震惊。在食堂或阶梯教室等场合里，一听到有人提起她的名字，他的全身血液就汹涌地往脸上奔蹿，心惊肉跳，无地自容。仿佛他是被当场抓住的凶手。他的压力深重。闷闷地半夜去跑步，围着操场跑上一大圈又一大圈。一个人在浴室洗澡，忍不住流下泪来，觉得心里有恨意。她最终撇下他，没有任何解释与说明。

上级部门派人来学校找他谈话。有初中同学知道他与她的关系密切，一直通信。他被叫到校长办公室，对着两三个表情冷漠的男子，沉默不语，再怎么劝诱，只说他不知道，拒绝承认他与她之间有通信，不提供信件。

巨大的丑闻。在一个保守而有历史的小城市里，这种糅合着色情、肮脏、羞耻和罪孽的事件几近突破想象的界限。心惊胆战。浮想联翩。所有的人在屏声静气等待结果。等待这一对私奔男女自动浮现。等待时间给他们最终的审判。

三个月之后，男人回到了学校。

男人向校方承认错误，希望能够恢复公职。回归家庭，企求妻儿原谅。他的妻子几欲疯狂，和一对孩子一起，抱住他哀哀哭泣。学校领导在旁目睹，暗自动容。男子显得比之前更为萎靡不振，整张脸颓唐失色，眼睛中没有了光亮。他的确是老了。三个月的情感事故，令他加快了衰老的进程。仿佛一个被推入深渊之后绝处逢生又被拖上平地的人，所有的恐惧都还写在脸上。

她在众目睽睽之下，被愤怒的妻子猛掴一掌。所有的人冷眼旁观，并不劝阻。一切指向都很明确：他是循规蹈矩庸碌无为的男教师，她是桀骜不驯早有劣迹的女生。是她引诱了他。母亲在电话里告诉他，这个女孩子受这种羞辱，虽然有点过分，但闯下的祸必须要负担。她已经被学校勒令退学。她虽然回来，但已经不能再走回正常的轨道。善生，你不能再与她见面。

她来找他。大雨滂沱的黄昏。瑟缩地站在男生宿舍楼道口，球鞋泡在雨水中，辫子梳得很整齐，脸色苍白。身边有进进出出的学生，纷纷侧目。有人认出了她，怪叫一声：苏内河，男教师。于是便有吃吃的笑声传来。她虽然落魄潦倒，神情却依旧孤傲，一脸漠然，直直地站在那里，置若罔闻。传达室的小广播已经叫响：507的纪善生，苏内河找你。507的纪善生，苏内河找你。他从宿舍里带着狼狈和尴尬走出来，顶着那些惊诧猜测的目光，下楼，走近这个已经臭名昭著的女生。并不与她说话，转身就往图书馆方向走。

他在大雨中迅疾地走路。雨水冰冷而剧烈地扑打在他的脸上。衣服已经完全湿透。她一直在后面跟着他，不离不弃，坚持到底。他们穿越整片空旷的操场，一直走到空无一人的图书馆后门走廊。他转过头看她，没有说话。她主动开口。

善生，舅舅要我对学校申辩，告他诱奸。我不想对任何无关的人说我与他之间的事情。不愿意解释和说明。我知道外界不见得会用善意来理解。

他说，你做事情的时候，从未曾想过别人的感受吗？自己想着怎么痛快就怎么去做。这不是你为所欲为的世界。你要遵守规则。

她说，我知道。我只是追寻自己想要的东西，并不想伤害任何人。又与他们有什么干系呢。她的眼神平静，不流露丝毫表情。她在巨大压力之中如同岩石一般坚硬，仿佛她早已经不知道难过和恐惧是什么。她只能如此保护自己。

我只是要你帮助我。善生。你是我唯一的朋友。

他说，以后怎么办。你不能上学，并且失去了名誉。

她轻轻地说，这些都不重要。我顾不着这些。我怀孕了，善生。我不能够让别人知道，需要你帮助我。你要陪我去省城里的医院。

「12」

那年夏天已经即将结束。从医院出来之后，她被舅舅关在家里软禁。如果家里无人，就把门窗都锁起来。她的精神状况发生变化，举止动作僵硬，形容邋遢，经常忘记洗脸梳头。眼神发直，不能集中注意力。衣服不自知地反穿，皮肤头发散出不洁气味。她一直执意要找美术老师。不甘愿像火焰一样炙烤，无法平息下来。欲与之同归于尽。

那一天黄昏闷热阴沉，天气预报说会有一场雷雨即将降临。他在宿舍接到母亲的电话，说她的舅舅来找，她又逃脱去找美术老师，在他家门口纠缠，不听人劝。要他过去帮着劝阻。母亲说，也不知道事情怎么样，赶紧过去看一下，以防止意外发生。他挂掉电话，转身往校门口跑。只看到街道上人群慌张地疾步行走。天空已经有雷电沉闷地掠过，雨点重重坠落。

教师住宅楼前面人群骚动。她蓬头垢面，跪在他家门口，拿了一把菜刀奋力劈砍着防盗门。房子里面没有任何回应。他们躲避在里面，只有小男孩被惊吓，大声哭泣。钢与钢碰撞的钝响刺耳惊心。

门突然被打开。那个男子隔着防盗铁门与她相对。他离开之后，一直躲避不见。这是第一次她看见他的脸。

这个男子。她要花费余生的时间去忘记他的脸。忘记曾经与之相爱及彼此摧毁的幻觉。忘记他半夜惊醒，抱住她泪流满面不能自制。忘记那一刻的花好月圆，走投无路。忘记她是他生命中最后一次出现的烟火，蹿至高空，灰飞烟灭。忘记如此的不甘心不情愿，执拗地把彼此逼到绝路，丑态毕露。人性不容如此之拷问追究。忘记年少气盛，忘记内心深处的火焰，而一切终究会熄灭腐朽。忘记对爱的探索和质疑。感情。这是你要的感情。原来它不过如此而已。

她停下动作，愣愣地看着他，一时想不起来他是谁。他是别人的丈夫和父亲。他只不过是一个普通中年男子，虚弱落魄，只余自保。他看着她，轻声似自言自语，你到底要怎么样才算完。我只是犯了一次错。你不依不饶，要把我的生活赶尽杀绝。

她说，老师，再给我一个机会。我们可以重新开始。他说，闭嘴。他的眼睛里流露出深深的厌恶和恐惧。

就在这一瞬间。他拉开门，飞快地夺掉她手里的刀扔在地上。揪住她的头发，倒拖进客厅里，开始揍她。他的拳头击打在她的额头、眼睛、脸颊上。恨之入骨的重量。忍耐太久，只有全盘崩溃。

她被推翻在地上，他的脚盲目而用力地踩她的肚子。鲜血糊满她的脸。她尖叫起来。他的孩子在一边被吓得哭叫不停。邻居们围过来劝阻。

大雨滂沱。被血腥和丑闻激奋的人群看着热闹，不愿散去。有人报了警。她被邻居拉出房间，跌倒在泥地上。披头散发，满脸血污，衣服被撕破，浑身湿透。她在瓢泼大雨中像野兽一样挣扎喘息，嗓子喑哑，发出一种类似于干嚎的声音。再次试图扑向防盗门。同样陷入癫狂之中的男子，被众人劝阻着，一边用力挣扎，一边歇斯底里地咒骂她。

他的母亲及时拽住了他。他的脑子混沌一片。唯一听到的是母亲的声音。母亲厉声命令他，没你的事了。善生。你给我立即回学校。她把他强行推到出租车里面，放低了声音，说，以后你再也不许与她来往。再不用管她的事情。这个女孩子没救了。她已经疯了。

人的意志何时开始崩塌，尊严踩在烂泥里无人收拾。这种沉堕败落。内河，等你成长之后，是否会觉得羞愧，无知无觉还是处之坦然。因这是你必须穿越的漫长隧道，否则你无法捕捉远处闪烁的微光。你必须信任这一切。光的真实性。它的发生。

那时他的灯照在我的头上，我借他的光行过黑暗。这是我们的罪。内河。我们的罪，一定会在走过的黑暗里湮灭。

火车的白光和轰鸣，呼啸而过。他看到他们在廉价肮脏的小旅馆里拥抱在一起。她被打败了，而他要与她一起分担她的苦难。他碰到她的下体，温热的血使他肚子上的皮肤变得黏稠。她痛楚受损的身体他无法进入。他们的对峙没有效果。她的伤口是他身体的一部分。是他的血液、小叶动脉，是他温柔而羞耻的黏膜。分裂出来，没有来得及清除断裂边缘，血肉模糊。他们不能交媾，不能接近和联结。被彼此隔绝孤立。

他的身体浸泡在她的血泊之中，像被浸透的薄纸软弱无力。他从她的腰下抽出手，看到手掌上也都是血。黏稠的褐色血块簌簌地掉落下来。他没有控制住自己，用手抱住头，蜷缩起身体泣不成声。

他从睡梦中被梦魇惊醒。眼睛充满血丝，心跳得剧烈，依旧沉浸在窒息般的回忆之中。努力平静不稳定的呼吸，擦掉额头上的汗。夜雨依旧淅沥有声。房间里已经熄灯。他在被子里打开手电筒，轻轻翻开旧书。书里夹着几页信纸。他经常随身携带着她的一些信件，有时候没有看完就随手夹入书中。

这封信写在印刷粗劣的学生练习本的纸页上。信封上的邮戳，来自波密。墨脱不通邮，她在那里写的信，都是托人带到波密，然后寄到上海。她用B型绘画铅笔写下的字迹，已经有些模糊难辨。邮戳上的日期，显示这封信写在四年之前的春天。

善生：

……

这个山丘顶上的村庄，土地肥沃，地广人稀。附近有大片桃花。春天来临，花开的阵势极其猛烈，一棵树就开成一大片花海，映衬雪山和蓝天，这样的美景只能是上天的杰作。桃子成熟的时候，没有人采摘，静静地熟透和掉落，在地上不知不觉就堆了一尺多厚，几十里外能闻到香甜气味。太多桃子。他们只好用来喂牲畜。

我从未觉得生活像现在这样的清醒自觉。不看电视，不看报纸，没有任何娱乐。像田地里的麦子，有了安然的生息。我知道自己并未老去。也许是因为开始与孩子们相处。孩子们经常光脚走很长的山路。没有封山的时候，我与他们一起去附近的德兴、雅让、背崩，收集植物标本，郊游。也随他们一起回家，进行家访。孩子们来自附近的门巴人村寨，心智聪明活泼，如同繁盛的野草野花，在地上自由生长。他们走出峡谷的机会很少，即使成人之后，也许命运不过依旧是做个背夫或农民。但即使是光着脚的少年，也应该有获得知识的权利。

你邮寄到波密的书，已有村民帮我背运过来。这里生活简单，物质匮乏，因所有的东西都要靠背运而入。一年的时间很快就会过去。我不知道自己是否会再留下来一年、两年、三年……或者更久。这个高原上的孤岛，与世隔绝，进入它和离开它，都一样路途艰难。唯独它自身，花好月圆，存在于此，仿佛与人间无甚关联和依傍。这里的 切都成全了它的完好。

……

信上的字迹在手电光线下，越看越残损。他放下信纸，觉得睡意全无。雨声已经停息。他在暗中走到窗边，打开玻璃窗，看到楼下路灯光下潮湿的街道空无一人。远处有淡而灰暗的山峦影子。

她并没有入睡。把头埋在枕头里，侧过脸，看着这个在夜色中伫立的男子。他的辗转反侧和读信翻动纸张的声音，她都听到。但是她知道，他们不能彼此安慰。天色即将发亮。他们的旅途也将开始。

第三场

深红道路

「1」

去往派乡的小巴车破旧拥挤。车厢里挤满当地的藏民，只有他们两个旅行者。半途上来年轻的妇人，穿碎花棉布上衣和藏袍，头发蓬乱干燥，辫子扎着丝线，手腕上戴着廉价而鲜艳的塑胶镯子。她们似乎长时间没有梳头洗澡，脸形却极为端正秀丽。一股混合着奶酪和脂肪酸味的浓厚体味充满了车厢。抽烟和昏睡的人群，被驮着颠簸地前行。

车子经过岗嘎大桥，由雅鲁藏布江的南岸开到北岸。景色逐渐翠绿潮湿。车窗外可以看到江水缓缓奔腾，天边云层浓厚，雾气萦绕。与拉萨已是截然不同的景色。未修葺过的车道，泥石混杂。越来越狭小颠簸。到最后，是一条被踏平的泥土路，逐渐通向山脉背后的隐蔽小村。派乡。通往墨脱的物资中转站，进出的背夫都会在此地歇脚整顿。在那里要翻越位于南侧的多雄拉。多雄拉地形复杂，属于喜马拉雅山东段群山的一部分。它是传统路线中进入墨脱的起点。

派乡最好的小旅馆是四川人开的。所谓最好，也不过是木头阁楼，铺几张木板拼起来的低矮小床，叠着气味不洁的被子。厕所在很远的荒郊处。没有可能洗澡。楼下厅堂里人声喧哗，一个北京来的电视台摄制组在这里做考察，被区领导招待，摆了大桌饭菜。听到熟悉的来自大城市的普通话，使人觉得有些突兀。他们坐在一边等待空位，没有上去聊天。

终于大帮人被越野吉普车接走。厅堂空落下来。天色漆黑。他们各自要了一碗热辣的面条，就着茶水吃完。她轻声说，哪来那么多考察，公款吃喝，拍些皮毛风景回去交差。旅馆已停电。店家点起白色蜡烛。黄色大狗进来寻找食物，她伸手抚摸它的头顶。她喜欢小动物，从不惧怕它们。对人却非常戒备。

在某些细微的时刻，他很容易发现她身上所坚持的那种浓烈的社会边缘身份的认同感。她与集体、机构、团体、类别……一切群体身份保持着距离。对人情世故和社会周转规则的冷淡和漠视，使她有时候看起来很孤立。

他们打了手电，走出旅馆散步。夜幕降临，群山沉寂。破落的小村有此起彼伏的狗吠。月亮很圆，在旷野中洒落光泽。周围绵延起伏的山谷轮廓，在幽蓝夜空的广袤画布里，显出醒目的黑影。其间挺立一座险峻雪峰，冰雪覆盖，线条简洁，在星空之下巍峨耸立。他们停下脚步，长久凝望着它。雪山的山顶，闪烁着被月光映衬的清冷光芒。

这是多雄拉。她说，它终年积雪，大雪封山时，路径不能辨明，积雪深浅难测，再加上天气莫测，如果那时上这座山就必死无疑。明天我们须早起。当地人说，最好是在上午十一点之前翻过此山。否则天气容易发生变化。

所有进山之路要通过的山口，在每年的十一月下旬至来年六月期间都会被皑皑白雪覆盖，山路也会被积雪和冰块覆盖，暴风雪骤然而至，所有的通道被封闭。不会有任何人进去。而春夏时分，雨季滂沱，塌方和滑坡造成道路险阻。只在每年的六月到九月，积雪才会融化，容许行人通过。所以，它与外界的交通，其实只有那么短短的几月。

隐约地可听到远处雅鲁藏布江波涛汹涌的声音。在日光之下，将看到它白色浪花翻卷沉落，轰然有声，向远方呼啸而去，在交错重叠的喜马拉雅山脉间往北飞窜，到了北端扎曲，拐了一个马蹄形的大弯，急转而下。它的大拐弯也许是地球上的峡谷河流中的一个奇迹。往南奔流到墨脱县再出境，穿过印度和孟加拉，最后的归宿是印度洋。一条大河的路途。壮阔诡异，跳脱自在。这是一条江河的生命所在。它的起源，是高山上融化的雪水。

「2」

他说，十三岁时去海岛的旅行。她深夜引诱我穿越迷途森林，洁白闪电如同伤口一样分割漆黑天空。找不到来时的路。我跟在她的后面，在高及腰部的灌木丛中穿梭，紧张而又激奋。从树上渗透下来的雨点，也是这样有力地击落在额头和嘴唇上。善生。善生。你害怕吗。她在前面轻声唤我。我们迷路了。只得决定找地方避雨和休息，等到天亮再赶路。

岩石旁边有一块凹陷的平地，四周围绕巨大的樟树、柏树和栗子树。繁盛枝叶搭起封闭的宫殿。她在树根边侧躺下来，赤裸双脚，小腿上沾满泥浆。她说，善生，来，躺下，从背后抱住我。这样你不会感冒。她是一个以露水和花粉为生的小妖魔。他是被她催眠的猎物，一只被用红色丝缎蒙住了眼睛的幼小梅花鹿。她要和他相伴嬉戏。

他闭上眼睛。他说，清晨我们在从浓密树荫间洒落下来的阳光之中醒来，听到森林的一侧有流水清脆的声响，混杂着一种奇怪的声音……嗡嗡的空气流动声，那种声音，像雷电袭击过夏日田野后，残留下来的低沉余音，消失在云层之下的最后的回响。她说，去看一看。于是，我们起身，她走在我的前面，拉着我的手，再次向树林的深处走去。

「3」

十八岁。他带着母亲欢天喜地装备好的行囊，胸口口袋里揣着一张入学通知书，坐上开往遥远北方的长途火车。那列火车在由南往北的原野上奔驰了三天三夜。他以全省第二名的高考成绩，得以换来进入北京的资格。野心勃勃的人如过江之鲫一样汇集于那个城市。它将是他的营地和战场，是他过渡的桥，越过困守的河流，是对岸的大路，去往心中的广袤疆域。

终于离开。彻底厌倦家乡，迫不及待地要逃离它。逃离琐碎庸碌的生活表面，逃离狭小逼仄和人影憧憧，逃离南方的梅雨和酷暑，逃离在此发生的十八年的压抑生活。逃离它。不惜一切代价。

我看到自己已经是一个成熟并在老去的男子。他说。年少时，他被母亲逼迫用成年男人的标准面对现实，直接丧失青春期，做一个想象中的父性男子。童年以及少年被搁置，缺少应有的自得其乐。他站在岸边，观望生命的渡河，从明的此岸，过到暗的对岸。此间缺少至亲给予的解释说明。他所需索的合理性，在时间中承转起合。这是属于他自己的漫长成长。

在这个离家千里的北方城市里，得以断绝一切历史。无须也不会告知任何人关于自己的过去。做一个删除过往空白全新的男子，这是他的期求。个人风格更为明显。短发，平素只穿白色或深蓝色的衬衣，洗旧的布裤。一双球鞋。身形并不似北方男子高大，但轮廓鲜明冷淡。浓黑眼睫低垂下来，似有千言万语。来自江南小城的纪善生，在校园里是出色的男生。寡言却卓尔不群的男子。

深夜独自出去长跑，围绕着大操场跑上四五圈。他把注意力关注在自己的身体上。他一直觉得是恋慕自己的。对他人很淡漠，也无任何兴趣和重视。依旧喜欢阅读。大部分时间都泡在图书馆里。春天，图书馆窗外古老的泡桐，开出紫色硕大花朵，一朵一朵，在空气中钝重地落下。幽暗的清香，绕之不去。时间似乎停顿，却又在飞快地流逝，不知不觉，天色已黑。

大学四年，没有任何感情经历。身边同学不免有猜测疑惑，不知他是否在心理生理或性向上有难言之隐。但一切猜想，因为他的端然，最后不免自惭形秽。他的价值观自成一个体系，逾越这个世间有几寸的距离，足够他不在乎身边任何旁人的感受。不介意他们如何观望、亲近或疏远。

更频繁地收到同系或外系女生的情书。一封一封的信。夹在他的课本里，出现在他的课桌里，甚至上体育课的时候，外套脱在一边，再穿上的时候，衣服袋子里已被装入了信。他不闻不问，完全置身事外。有胆色略壮的女生，写了信不见回音，就直接在他宿舍楼下面堵他。而这往往会成为围观同学的笑柄和趣闻。

比如能歌善舞的系花，仗着一直被男生宠爱，站在他宿舍门口直接询问，善生，周五能不能请你一起看电影？善生温和地回应她，我没有空。女生紧逼不舍，那周六日呢？没空。周一呢？没空。那你哪天有空？一直都会没空。背后的男生早就笑翻了天。他的神情却看起来相当无辜，似乎并不觉得这些话是一种推搪。他不在乎这样会伤一个漂亮女孩的心。

有很多女子迷恋过我。他说。她们像皎洁的山茶绽放在我的面前。穿着各色精心剪裁的裙子，高跟鞋使她们走路的姿态摇曳多姿。丝缎般的肌肤，头发间散发出来的香气，面容、手、脖子、肩、锁骨、胸部、臀部、腰肢、腿、脚趾……闪烁明亮的光泽。可是我对她们的身体和心不抱好奇和憧憬。不想让她们靠近。不发生精神和情感上的关联。不让自己依赖和信任她们。

在少年时，他曾经控制自己内心的爱欲，如同一株收紧了花蕾的树，闷声地往上伸展，积蓄力量。即使觉得压抑，也不愿意轻易释放它。他从来没有告诉过任何人。任何一个人。他甚至还没有试图握过一个与之恋爱的女孩子的柔软双手，就被迫面对情欲的真相：一个流产女子的器官。血肉模糊。血散发热辣气味。子宫里被刮除的组织，无法获得生存机会的受精卵。她赤裸残损的身体。

他被迫在瞬间被提拔成一个成熟男子。看到来自一个女性的身体的恶。年少时的遭遇，没有丝毫抵抗之力，粗暴地剥夺了他的童贞。直到二十四岁他才发生第一次性关系。荷年是他的妻子，也是他的第一个女人。如此保守。未曾识别爱欲欢愉的表象，却被迫进入它黑暗沉痛的内心。他似知道它的真相，所以不会被迷惑引诱。他根本不爱惜她们。他对她们没有怜悯。

「4」

没有怜悯。是的。他的怜悯是被扭曲挤压成小小的火种，隐藏的黑暗团块。他感觉不到也捕捉不到它。他用尽了它，知道不会带来拯救。怜悯不能填补任何损伤。他说。有些人的生命若发生了某些事，便有一道门被永久地关闭。这就是损伤。

他看见穿着肥大的医院白色病号服的她，畏缩地低头走路，光着脚。善生。善生。她在会见室玻璃窗后面见到他，眼睛里露出欣喜的光泽，一闪而过。她的声音因为长久封闭生活的压抑，轻而微弱。身边坐着一排目光呆滞、神情僵硬的病人。这些有精神疾患的病人，将长久地停留在各自的黑色洞穴之中。

那一年她在青冈医院。上学时，同学最爱以青冈医院互相恐吓取笑，因为精神病患者始终是恐惧的载体，意味着突然而至的疯狂和不可控，也许还会有人身攻击。她一定不曾想到自己的十八岁，是在此地度过。

她出事之后就被沉落。经常独自坐在房间里发呆，不洗脸梳头，任何事情都不想做。沉默，或者无缘故地哭泣，哭得全身颤抖直到昏厥过去。失眠。举止动作僵硬，眼神发直，不能集中注意力。只能被送进医院强制治疗。服用药物，做心理辅助指导。

她身边的那些同龄人，已纷纷考上大学，争先恐后，奔赴前往。在不见天日的幽闭日子里她以阅读度日。他一直送书给她。读完一批再换一批。她恢复得还算顺利。

他在临行之前最后一次去看望她。他们坐在医院的小花园里。夏末，花园里的蔷薇和月季即将开败，泥地上都是枯萎发黄的粉色花瓣。她给他看医院里的时间表。早上六点起床，六点半接受检查，七点半早餐，中午十一点半午餐，一点半午睡，五点半晚餐，七点加餐，九点上床。要吞服护士送来的大把药丸，接受注射、检查、化验。

她说，我现在和农民一样早睡早起，随太阳出落而作息。这里的生活很规律。有时候半夜醒来，偶尔听到走廊其他房间里，有人发出歇斯底里的尖叫和哭泣，余音回绕不散，片刻也就停息。我不知道该如何自处，才能控制自己不至于彻底沦陷下去。停留在这里的，都是无力自拔的人。我必须要忍耐。生命在此刻太煎熬。善生。

他看到她手背上被输液针头扎得发硬的蓝色静脉，粗大地挺起来。手腕上有伤疤，是刀片自残后留下的痕迹。新鲜的一道伤口裹着纱布，渗出血凝固之后的黑色痕迹。因为吃激素类药物，副作用明显，以前瘦削清秀的脸鼓胀起来，身形也显臃肿。一头黑发旺盛地生长，因没有经常清洗，显得油腻邋遢。脸色苍白，皮肤上生出粉刺。她仿佛被突然抛进一个装满了消毒热水的大木桶里，粗暴地清洗掉了所有的灵气和活力。整个人呆滞而无力。

她说，刚刚外逃回来的时候，我做梦，经常看到在外面租的房子，出门就是桃花树和流淌着河水的田野。半夜惊醒，看到窗外路灯投射的光影打在墙壁上，影影绰绰，仿佛是屋外桃花开得花枝繁盛，以为依旧停留在苏州小镇。但那不过是对门的杂物轮廓。

是我对他说，带我走吧。把我带走。我们要远走高飞。离开，离开一切束缚的人和事，离开他的家庭、妻子、孩子，他并不爱他们。他谁都不爱。他只爱自己。我让他更爱自己。我与他要离开规则，离开不自由。

他找不到其他工作，慢慢花光带出来的钱。住在一起，隔绝在孤岛上。没有任何朋友，没有外界的消息。每天两个人相守，除了做爱就是吵架，彼此折磨。他最后变成一只坠入陷阱的困兽，睡觉都会发出呻吟。

一个月后，他开始动手打我，打完之后，跪在地上抓着我的裙子忏悔。他经常半夜惊醒，抱住我泪流满面不能自制。他说，他爱我，因为我点燃了他内心的火焰，但是现在他只是恨我，因为那些灼伤的火焰，早已被现实的失望扑灭，只是再次毁灭他的生活。这不是他想要的生活。然后一天早上，他不告而别。

我找不到他。他避而不见。走近他的家，他妻子和邻居用手抓砖头砸我。我只想问问他，为何他突然如此决绝。我执意要找到他，一定要见到他，想让他亲口对我说话。我曾经不让自己面对现实：我们彼此都已被打落原形。人与人之间的感情，就像晚春一定会凋谢的花瓣……岌岌可危，徒劳无功。最终走投无路。再无生还的机会。

我终于能够对你说起这件事情。我无法对任何一个人提起。

我不信任他们，不想让他们知道，不愿意他们给我任何误解或粗暴的评判。在我被送进医院之后的某一天，我醒过来，忘记了他的名字。一直到现在，都还没有想起来。我还记得那些事情，却想不起那个人了。也许我的记忆在自动清除对一个人的回忆。他已经彻底走出我的生命。

现在我感觉到了遗忘。我的前半生仿佛已经结束了，后半生却还未开始，现在只是一个被虚设的时段。我被停滞了。这一段时间无法被逾越。我只能度完它。

她对着他，轻轻微笑，善生，你恨我吗。

他的眼睛慢慢蓄住泪水，说，不要着急，我们经历过的那些事情，最糟糕最困难最危险的，都已经过去了。一切只会慢慢好起来。我给你带来一箱书。一些七十年代的欧洲小说，哲学心理学艺术方面的书，中国古代笔记和唱本……你可以看很长时间。

我知道。我在写诗和画画。我要做这些事情，它们让我保持头脑清醒……她微微惘然地抬起头看他，对他微笑。因为保留着强迫症一样的高强度阅读，她的眼神依旧显得清澈，恍若没有成年的孩子。她说，你要走了。你终于离开这里。等我病好了，我也会离开。我会去看望你。

他犹豫不决地看着她。自从经历过那些事情之后，他已经不再碰触她的肌肤，总是与她保持空间上的距离。他看到她就是看到自己。他们被彼此孤立。充满禁忌，心怀怜悯。但她依旧是他唯一的朋友。他们所共有的逃逸和损伤的少年生活。彼此的核对者。

他没有伸出手去拥抱她，起身与她道别。

「5」

海拔4220米的多雄拉。

松林口的山路盘旋而上，一路能看到高大苍翠的树木，铁杉、香樟、楠木、刺栲、乔木杜鹃……随着海拔高度的变化，植物生态也在发生变化。从矮小的灌木丛，到单薄的地衣，越往上走越荒芜，直到寸草不生的白雪冰层。覆盖着皑皑白雪的峰顶就在眼前，似乎伸手就可触及，却又高不可攀。天色阴沉，乌云凛冽。笼罩在雨雾中的整座陡峭山崖，一直延伸到雷声轰隆的天际。上山的路，接近乱石荒滩。有时巨大的石块层层叠起，在上面需小心地择路而走。盘旋而上，不能停歇。

他们在上山之前已经打好绑腿。用两块钱一副的细长布条，顺着小腿紧紧地包裹起来。这样可以防止小腿因为长时间徒步而产生静脉曲张，过蚂蟥区的时候也可有所预防。有一小队马帮同时和他们出发。马匹上放着沉重的货物，背夫身上的行李高高叠起，起码有一百斤以上。但他们走路的姿势却极为沉稳熟练。

这是当地人走过无数遍的路。他们需要食物及其他生存必需品。对自己所处的峡谷之中的境地安之若素。完全接受一切。走出峡谷，他们也许将无法生存。

看起来清瘦安静的庆昭，几乎和背夫是同等的速度，紧跟着他们往前走去。步势踏实有序，身形沉稳。她的表现，虽然是想象之中的坚定，但仍出乎他的意料。一个小时之后，他已经完全被落在最后面。大风堵住喉咙。胸腔里的呼吸，剧烈窜动，似要顶破隔膜。他控制呼吸，睁大眼睛，奋力向他们走去。脑子里一片寂静。只有大风在耳边呼啸的声音，以及对寒冷、潮湿和疲惫的感知。其余的一切意念，单纯得近乎消失。

随着山势的拔高，寒风刺骨，阵阵狂风夹带着雨雪迎面扑打。头发和脸已经完全被浇湿。防水外套虽然挡住雨水，但身体的热量无法发散，大汗淋漓，把内衣、衬衣、裤子全部渗透，里外潮湿。人就在这浑身的湿漉漉中奋力往上攀登。他听到自己的心脏，在疼痛中清晰有力地跳动。他知道自己在路上。冰冷的雨水。他伸出舌头轻轻地舔动它们。它们打在眼睛上，有力度的重。

前方高处的垭口挂满经幡。被雨雪洗褪颜色的小旗在大风中剧烈翻飞。山顶覆盖无法融解的坚硬冰雪，气温低寒。风雨的阵势更为猛烈，仿佛一个旋涡中心，人多站立一会儿也将被吹刮而去。他看到庆昭站在一块大石头边上，强忍着严寒，在等待他与她之间的距离靠近。

她说，马帮们要赶路，先走了。帮我们指了路。说下山路有很多分岔，有些会通往茫茫峡谷，会迷路。只有一条小路可以正确地下山。她的头发和脸完全湿透，颧骨有两团红晕，是剧烈运动之后带来的血气。垭口下面，可以看到青翠空阔的山峦谷地，被苍茫雨雾弥漫，但已是和风细雨，完全另一番景象。

冰雪融化的水流增加，汇集成瀑布急流。水深处没有石头垫底，只能涉水而过。又开始有低矮硬朗的灌木出现。绿色山谷，悬挂着一条又一条白色的瀑布，激起沉闷的震动声音。扬起细密湿润的小水珠，在淡淡阳光下，出现若隐若现的彩虹。他们在一个平缓的山道上休息了一小会儿。

她说，这是我第一次见到那么多的瀑布。英国探险家沃德曾经在二十年代出过一本书，介绍他在峡谷中发现的一个巨大的彩虹瀑布，但是一九五〇年八月五日在当地发生过八点五级的大地震，造成山体大滑坡，可能把瀑布毁掉了。后来的人再没有见到。

她拿出香烟，在细细雨雾中点燃它，脱掉雨衣，露出湿漉漉的长发。他们看着幽深山谷中的瀑布群，与它们遥遥相望。

「6」

他大三的冬天，她来北京看望他。那一年，他和她二十一岁。她独自前来，没有任何告知，出现在他上课的教室窗外。跳跃起来张望着，忽而伸直双臂，高高举起一张白纸，上面用圆珠笔大大地写着他的名字：纪善生。他在同学的窃窃低笑中向外面走去，看到站在走廊里的年轻女子，是阔别三年的她。

呵，善生。她放下手里的军用布行李包，向他走过来，略带拘谨地看着他。她穿着一双红色单薄球鞋，戴一顶毛线帽子。鼻子冻得发红。也许是服用药物的副作用还未完全消退，脸颊略显苍白肿胀，身形已清瘦下来。她不敢过去拥抱他。只是侧过头深深呼吸一下，说，我又闻到你的味道。善生。她伸出手，小心翼翼地轻轻抚摸他的手臂，这时才轻轻地微笑起来。

他用自行车带着她穿越操场。去学校的小餐馆吃饭，顺道参观校园。天色阴冷。即将有一场大雪要降临北京。拥挤狭小的饭馆里坐满了学生。她一落座就伸手要白酒，点了一根Kent牌香烟，吐出烟雾。嘴唇上有艳丽口红，涂得不经意，如同突兀伤口。

周围惊奇目光纷纷围拢过来，似猜测这个举止落拓的女孩与他之间的关系。他虽然早已习惯这么多年来外界对他们之间关系的质疑，但每一次依旧心里忐忑，并不坦然。她看出他的窘迫。本来要拔出第二根香烟，又放了回去。

她说，我喜欢这个学校。古老清雅的建筑，银杏树的黄叶落满一地，白杨突兀的树枝横掠天空……要进入名校多么不容易。善生，你真令我们觉得骄傲。

他说，我放假回家，去你舅舅家找过你。说你去了上海，失去音讯。你没有信件也没有电话。为什么要这样失踪。我们都很挂念你。

我在上海过得不好。需要时间整顿我的生活，只能躲起来不见人……但是我一直想来看望你。花时间去平息内心的失望，不是一件容易的事情。我一直在工作，换了不同的工作：广告文案、诗歌网站编辑、英文儿童书翻译、男性杂志记者……日日朝九晚五，会议不断。有时候加班到凌晨。有时又要与老板同事斗智斗勇，看谁比谁更猥琐。琐碎事务像强有力的鞭子抽打着陀螺，想停下来都不能。直接扑向外部世界，与它们对抗揪斗，似乎其乐无穷。但是这一切不能使我平息内心的疑问。我不知道自己到底在做些什么，为什么而做。我并未满足。它们只是令我的脑子暂时运行着琐碎的指令，而停止掉思考。

这是在大城市生活必须要付出的代价。你需要谋生。

百货公司里铺满奢侈品，地铁车厢里的小白领正津津乐道他们的房子、孩子、工资、家事……沉浸在中产阶级的虚拟愿望里，沉闷自得，没有自知。身边的人，生活模式千篇一律，每年买固定的欧洲牌子的衣服，追求奢侈品，食物不能有农药化肥或任何的基因转化成分，以娱乐明星电视肥皂剧商业大片漫画书填充精神生活……物质精益求精，精神苍白贫瘠。努力工作，用薪水贷款，买大房子住，买好车开。信奉形式和虚荣的价值观，疲于奔命的恶性循环，生生不息。他们似乎没有内心所好。也不想其他的事。人与人之间始终隔离，感情充满设防。城市缺少脱离常规的人和事。有时让人无法透气。

她喝完一小瓶白酒。餐馆里最便宜的红星二锅头。额头上冒出细小的汗珠，眼皮微微发红。踢掉球鞋，把双脚放上凳子。抱着膝盖，整个人蹲在上面。这是他们少年时聊天她经常采用的姿势。也许是觉得放松自在，两小无猜的感觉又缓慢地回来了。她再次摸出香烟，抽出一根点上。她激奋地滔滔不绝。抽烟很凶。

她说，我又恋爱了。还是已婚男子，比我大十五岁，是我的上司。这始终是他们喜欢的游戏，外表出色、事业有成、优雅有情趣的中年男子，一般均早婚早育。偶尔邂逅田野里的蝴蝶，愿意与之玩赏逗留，疲惫之后回转家里……我总是在原来跌倒的地方再次跌倒。

因为你幻想找到一个感情角色来代替从未出现过的父亲。但那是不可能的。内河。有一些破损的关系，只能维持最初的残缺轮廓。以什么样的姿势被挖走，就以什么样的姿势始终需索。没有任何复原和试图填补。

这个男人什么都不会给你。当他离开的时候，你一样只留下难过崩溃。你必须停止。如果这一切最终带来的只是离弃和伤害，就该拒绝开始。人的欲望和缺陷，该有自控。不是饿了就吃，累了就躺，这一切需要意志来克服。

你不应该把对感情的需索，当成弥补内心空缺的方式。那块空缺是你的黑洞，吸收一切进入的光线。你没有可能得逞，内河。你的身体里有与飞蛾扑火相似的化学元素，需索光和热量。不过是按照本能行事。你只能再次付出代价。

她说，所有的人都以我为耻，都觉得我活该，咎由自取。你走之后，我在医院里无人探望，舅舅舅母来送衣物，只到护士办公室，不与我见面。我犯罪了吗？我让他们觉得被羞辱了吗？那么多人对着我指点评判，仿佛他们是理所应当的道德法庭。我知道你厌恶我做某些事情，但它们对我来说，是我要去往对岸必须渡过的河流。人怎么可能因为怕浸湿自己而不过河。

男人并不是你踩着过河的石头。你同样伤害别人。我去年过年回家，同学对我说，他已经被辞退。他离婚了，两个孩子跟他老婆。他在家里开煤气自杀，被邻居发现送到医院抢救回来。你最终令他走到绝路。你并不如你自己所认定的那般无辜。你总是有理由说服自己。因为事实上，你需说服的也只是自己。你不在乎别人是否难过或尴尬。

他说完这些话，发现自己的手在颤抖。他那年独自来到教师宿舍，想拼尽全力揍那个男子一顿，不管之后结果如何，不管死活。必须要做完这件朝思暮想的事情。她在雨水泥地上满脸鲜血受人践踏的样子，是他自身的耻辱。这是他的仇恨，需要亲自来清洗和了结。但是男子家的门窗紧闭，没有了人烟。时间给予最终审判。而在她的内心，这份创伤无法释然。她对感情接近偏执的渴求和失望，还在像火焰一样燃烧，灼伤自己，并一直企图引燃他人。

他制止她。但她并不想停息，她的话非常多。她继续喝酒，继续说话。已经完全喝醉，手碰翻桌子上的空酒瓶和酒杯，哗啦啦碰撞成一片。整个人几欲倾倒在桌子上。

他令我在精神病院住了一年多，无地自容，只能背井离乡。对付我的手法，弃若敝屣。只不过是他的欲望和寂寞，顶着爱的名义来寻找我。我恨他。憎恨这一切。深夜失眠，想起往事，历历在目，仍恨得浑身颤抖。我试图去爱。但是爱虚弱无力，总是成为我们最先放弃的牺牲品。最终它给予我的是一顶荆棘王冠，让我明白我对人的感情，并不是我的王国却是我的耻辱……

闭嘴。内河。你给我闭上嘴巴。他在周围人群惊诧的视线中，猛力站起来，再次大声而暴躁地打断了她。

他说，他因为自身绝望，把你当做对抗虚无的工具。你也是如此。你们没有能力理解对方。对彼此的需要不能解决自身的问题，最终只能丢弃了事。对结局无法承担，始终存活在这阴影里。你们都是相同的人。你们并不相爱，你们只是爱着自己。

「7」

这一天的目的地拉格，是穿出山下森林之后，在泥浆山路旁边搭起来的几座棚子。房间是用粗坯木条拼起来的简易木板棚，铺两张光秃秃的窄小床板，上面扔着一条肮脏潮湿的被单。房顶上裹着塑料布。一对四川夫妇经营着这个简陋的小旅馆，给过往的背夫们落脚。此时是下午三点多。他们已在滂沱大雨中走了六个小时。

换了干净衣服。在柴房里点燃木柴，烧起一堆火。要把湿透的胶鞋、外套、衬衣、背囊全部烤干。否则明天上路的时候，身上的行李将重量倍增。她湿湿的黑发松散下来，垂在胸前，穿一件大大的白色棉恤，俯下身拨火。不自知露出裸露肌肤。没有穿束胸衣。形状美好的胸部，呈现出坦诚无邪的自然，仿佛那并不是被她自己所忽略和过滤的肉体的一部分。而只是她的静默。

她就着火苗点燃了香烟，一边抽烟，一边在柴堆上铺开湿衣服。干柴被雨水湿气浸染，不够干燥，冒出浓浓黑烟，非常呛人。坐久了，眼睛刺痛，流泪不止。你去休息。善生。这里我来管。睡觉之前，争取把衣服都烤干。她用一件衬衣堵住自己的口鼻，一边把光脚放在火堆旁边的泥砖上。砖块传递出来的炙热能量渗透脚底的皮肤，她发出愉悦的呻吟，轻轻说，真舒服啊。以后这脚就会慢慢走得仿佛不是自己的了。

她完全能够苦中作乐，又懂得照顾他人。稀少而珍贵的品质，在旅途中日益表现得明显。他站起来说，那我去休息一下。谢谢你，庆昭。

小房间的木板床上已经铺开的蓝色羽绒睡袋，散发着依旧簇新的气味。他转过脸凝望木窗之外的天空。阴沉雨天。苍翠莽远的峡谷层层云雾缭绕，神秘的地图已经铺展。山峦中披挂下来一道一道白色的瀑布。如此美景，映衬着他们处境的窘迫和狼狈。烂泥沼泽路延伸向不知道尽头的远处，灌木丛密密麻麻。木屋被阴冷的空气包裹。一整天与风雨大作的多雄拉搏斗后的身体，感觉非常疲惫。不能用热水畅快地洗澡。没有舒适温暖的床铺。只有强忍着疲惫和不适，在床上暂时闭起眼睛。

他不知道自己睡了多久。醒来时，看到她手持着一根点燃的蜡烛在轻轻唤他。善生，善生。起来吃晚饭。她的脸低俯下来，就着跳动火焰在暗中看着他。夜色中的木头棚子，响彻雨声。他突然内心惘然，不知道在何时何地。她轻声说，吃完晚饭再睡吧。她把他已经烤干的旧衣服叠得整整齐齐，放在他的床尾处。外面天色已经一片漆黑。

厨房木桌子上点着白色蜡烛。有热的食物：卷心菜、腊肉炒辣椒、鸡蛋汤以及一大盆白米饭。她说，我们得吃光所有的东西，这里的饭菜价格太贵。店主是一对四川夫妇。皮肤黝黑的老板娘热心地看着他们，说，你们是考察队的吗？

她说，不。我们只是想进来看看。

看看？这里很危险哪……妇人显然很难理解这种行为。当地人进出峡谷是为了背运货物来谋生。一对来自城市的男女，却没有任何功利目的地进入峡谷。她也觉得很难对老板娘解说清楚，只是笑笑，拿起墙角一只旧塑料盆。它一定曾被无数个经过这里的背夫使用过，她顾不上考虑这些细枝末节，倒上一盆热水，把脚泡进去。她看起来怡然自得。她能够把发生过的和尚未发生的事情，全部抛在脑后。

他在临睡之前，看到她从背囊里找出一只开口的搪瓷盆，往里面倒满热水。她的神情略有犹豫，说，你去门外站一会儿。我要处理一点事情，一会儿就好。

他站在门外。听到里面传出水声搅动的声音。门打开之后，他看到泥地上略有一些水迹。她把一个装着废弃纸巾的塑料袋子拿出来，扎紧后放在门边上。她说，我在清洗身体，善生。我来了月经。

他一时有些发愣，说，这样的话，走长路和爬山会对身体不妥当。

在拉萨我一直希望它能够来完结束，但偏偏迟来。也不能因为它就在原地停留。恐怕拖延了，路上的地势会变化得很快。雨水这样大，很容易加剧塌方。

如果身体不舒服，还是先不要赶路。

不用。我的身体耐力很强，恐怕别人觉得难以忍受的，我还是可以继续抵抗。没问题，善生。她安慰他。我们会如期抵达墨脱。幸好带了这水盆和消毒湿纸巾过来。有热水清洗干净，就很好。

明天从拉格到汗密的路程，会比今天长。天一发亮，就要起来赶路。他说。

她坐在床头，就着烛火，用木梳慢慢地梳透一头黑亮的长发。她说，我以前喜欢做的一件事情，就是每年给自己重新列一张单子，写上死去之前要做完的事情。一条一条地列下来。经常会发现，自己想做的还没有做到的事情，总是有那么多。

会有重复的吗?

有。比如想给多年失去联络的童年好朋友写封信，想有一个孩子……我发现最终渴望解决的都是一些基础问题。它们朴素、平实，却总是被忽略。也许生活被剥掉层层假想和幻觉之后，就是那么简单。

……

内河知道你要过去看望她吗?

她应该知道。

我从未尝试过与另外一个人保持这样长久的关系。爱人、朋友、同事或者伙伴。无法相信能够与别人保持这样长久的关系。现在的关系都是快速充饥，大家只能吃快餐，没有耐心等着大餐一道一道上菜。如何探测彼此心意，并确定他一直在此地等候。这需要太漫长的时间来检验。

我把蜡烛吹灭吧。她说。她探过身体，轻轻地把那一缕在风中摇摆不定的火焰吹熄。空气里有烛芯燃烧之后的焦味。夜色漆黑。山崖上的瀑布，巨大轰鸣声无法停息，仿佛就在后脑勺处回响。外面又开始下起大雨。雨水敲打在包裹塑料布的屋顶上，如同无数颗珠子在不断来回泻落碰撞。炒豆一样的喧嚣。它将不会休止。会下足一天一夜。会每一天都下。

「8」

她说，我六岁的时候，在一户郊外人家里寄养。就读的学校是设置在附近废弃祠堂里的小学。寄养家庭，有两个女儿。其中的一个小女儿，比我大三岁，童年贪玩，被轧稻机削去左臂手肘以下的部分。我们两个人晚上睡在一起。她喜欢让我抚摸左臂皮肉愈合之后的部位。

没有小臂，没有手。从肩部拖延下来的残臂，像一段被砍去巨大花冠之后的向日葵粗枝，孤立无援。我用手指轻轻包裹和摩擦那一处圆形愈合创面。她侧过脸去不露声色，发出如同呻吟的呼吸。仿佛这抚摸在彻底抹去曾经两臂健全的记忆。然后，突然之间，她的焦躁爆发，开始与我激烈争吵，并扭打在一起。

有一次追赶到楼梯口，她的身体不能控制平衡，从楼梯上直摔下去，跌落在楼梯底处的木地板上。残臂软绵绵地耷拉着，没有受到任何损伤，与她用力支撑的右手及被擦破出血的右臂形成鲜明对比。我看着她的手臂，觉得害怕。跨过她的身体，打开门，飞快跑了出去。用力抡动双臂，感觉自己跑得多么坚定有力。就像一只鸟儿一样，马上就要飞起来。

她说，后来我知道，必须接受生命里注定残缺和难以如愿的部分。要接受那些被禁忌的不能见到光明的东西。

他说，十二岁的时候，我放学回家在巷子里邂逅一只被丢弃的狸猫。它很小，虎斑纹绿眼睛。见到我之后，一直轻声叫唤跟随在身后。于是我决定抱它回家。藏在房间里。喂它稀饭和鱼肉。蹲在旁边观望它进食和睡眠，让它沙沙的舌头舔我的手心，感到微痒和柔情，甚至遗忘了功课。晚上抱着它睡觉，这团温热的肉体蠕动着，发出呼噜呼噜的声音。如此痴迷而鬼魅的感情，是不曾感受过的温柔欣喜。一直自闭的世界，为此而露出破绽。

三天后午睡过头，着急赶去学校上课，忘记把放着小猫的纸盒子塞入床底。没有关上房门。路上突然警觉，已没有时间回头去找。心神不宁地挨过一节课，下课铃一响，就飞快往家里赶。在路上，跑得那么快，心脏疼痛得就要跳出喉咙。打开门，看到母亲坐在书桌边备课，抬起头平静地询问，你满头大汗跑回来干什么？我看到房间的门关着，知道小猫一定已被母亲送走。伤心欲绝。在那里站着哭出声来。

母亲不喜欢我哭，霍然站起来，把手里的书用力扔向墙角，撞到橱柜发出巨响，大声斥责我，善生，你玩物丧志，真让我失望。忘记这件事情。你给我回去上课。我转身出了门。那是夏天的午后，太阳热辣辣的，我一边哭一边走着回学校，泪流满面，抬不起眼睛，只觉得内心无比羞愧，如此软弱　我后来再不曾养过任何小动物。认定自己不再喜欢它们。不再对它们有任何感情。

在这个世间，有一些无法抵达的地方。无法靠近的人。无法完成的事情。无法占有的感情。无法修复的缺陷。

她因为疲累，已经在床上发出均匀呼吸，在黑暗中入睡。一如既往的酣畅睡眠。是婴儿一样的睡眠。快速，深沉而甜美。因为白日的长途跋涉，体力消耗极大，她放弃了睡前阅读的习惯。她不想为自己无法控制的事情费心。她比他有着更为坦然的心态。他有对明日路程的隐约担忧，脑子里还是很清醒，只感觉到腿部肌肉的酸胀疲累。需要时间适应。也许耐力在之后的漫长路途中会慢慢发挥出来。

高山上隆隆的瀑布轰响不绝于耳，声势惊人，床板都似在微微颤动。漆黑深夜大雨瓢泼而下。明天能够晴朗的可能性接近为零。雨季果然并未结束。而绵延无休的雨水只会使他们的路途增加更多不能预知的危险。但是一切只能顺其自然。

这里已经属于与世隔绝的地界。什么都没有了。高楼大厦、汽车、行人、咖啡店、百货公司、美食锦衣、报纸、电台、戏剧、新闻……所有生活的附加产物消失无踪迹。只剩下可以栖息的住所，食物、火堆以及陪伴在身边的唯一一个旅伴。他们在峡谷之中见不到其他的外来者，除了当地的背夫。支撑下来的，只有单纯的目标：向前。一直向前。

「9」

她喝醉的时候，只会有两种反应，一直呵呵地微笑，似乎很快活，或者就是哭泣。那是真正的沉重的痛哭。眼睛和脸颊，全部红通通地肿胀起来。仿佛她一生的无法甘愿就此得以发泄。他不喜欢她那时候的反应。也从来不觉得她是美的女子。人的生活为何无法自控，内河。他对她的质问，仿佛带着对自己的质疑和羞耻。

她在北京停留的唯一的一个夜晚，他们喝酒，争执，彼此沉默，时而又激烈地抢着说话。她醉得不像样子。回到旅馆，他拧干热毛巾，帮她擦洗脸和手心，脱下她的衣服、鞋子，用被子裹住她的身体。她稍微清醒了一些，仰脸看他，眼睛里都是泪水。滚烫的泪水顺着她的眼角和太阳穴源源不绝地往头发里渗透，但脸上却并无悲戚，依旧带着笑容。

她说，善生，你去哪里？

我要回宿舍。明天一早过来送你。

留下来。让我们继续说话。就像以前一样。我们之间并不生分。

他脱掉衣服，与她一起挤在招待所的单人床上。单薄的床垫支撑着两个人的重量，发出吱吱咯咯的声音。玻璃窗外映出雪花飘落的疏落影子。下雪了。干燥的雪花发出刷刷的声音，这是那年北京冬天的第一场大雪。他们各自侧身而睡，脊背贴着脊背。她长长的发辫压在他的脸下。熟悉的发丝清香。

他说，原谅我，内河。我对你态度不好。

她轻声说话，来时的路上，在火车卧铺上一夜无眠。担心见到你的时候，无法把心里想说的话告诉你。但是见到时，似乎不过是三五天未见。我一直幻想着这一天，能够与你喝酒，说说笑笑，把心里所有的负担，暂时搁置下来，获得片刻休息。

对不起，内河。

我们从来都有各自立场，只是现在更加分明。你按照你自己的意志辩驳和阻止我，没有对错之分。在青冈的那一年，我每天写诗歌，一遍一遍地洗头。把头发洗得好薄。早上梳头时掉落很多头发。我要保全脑子，所以写了很多诗歌。白天病人会被带去拆棉纱手套，这种劳作为医院增加效益，也用来镇定焦躁的分裂症病人。我经常一边拆手套，一边在心里写着那些诗，等待晚上可以把它们记录下来……善生。我们在一起，对彼此那么好。但是我一个人生活在自己的黑暗之中。你也是如此。沦陷其中。不能靠近。

……

她转动身体的时候，手腕上的银镯发出叮当的碰击声。她背对着他，开始安心入睡，很快发出深沉的呼吸。

他从来都不属于她的世界。他的世界是规则的被量化的没有瑕疵的。遵守时间的递进秩序，蒙住自己的眼睛往前走。他不像她。她跌跌撞撞，宁可头破血流也要看个究竟，问个清楚。从不懂得疏离的界限，纵身投入，带着命定的盲目的激情，要靠近这热与光，补充她躯体中的某种元素的缺乏……不计较粉身碎骨。她的行事原则一向以自我为中心，做她喜欢的事情，为此付出一切代价，有甘愿的勇气。他比她多的是他的自保。在事物之间出入自如，不曾沾染任何悲喜尘埃。

他们注定各奔东西，奔赴各自的生活。

凌晨的北京火车站，他与她告别。他穿一件黑色羽绒服，不想与周遭世间产生任何关系的清净索然。而这个抽烟的邋遢的女子，站在车窗后面，用手指抹掉玻璃窗上白茫茫的雾气，用力地对他挥手，脸上有一如既往的笑容。

他被她身上捉摸不定的脆弱而坚定的流浪气质所迷惑。他不准备跟随她，也并不蔑视她。他生活在自己的内心惘然之中，并不希望被提醒。那一时刻只觉得无言以对，转身离开了车站。

第四场

荆棘王冠

「1」

早上她准时熬煮中药。生活的固定内容成为一种重复的仪式。洗净双手，拆开中药纸包，把药材倒入电陶瓷煎药罐里。倒上水。浸泡药材一个小时之后，开始熬煮。药材基本上是一块块植物的根茎、叶子、花朵、果实或零碎昆虫甲壳形体。她已经学会分辨每一种药材的气味、颜色、质地，准确地叫出它们的名字。

为了研究自己的疾病，她阅读一些关于医理和中药药材介绍的书。这是一种与实践相结合的学习。不再仰慕医生的神秘感。能够被信服的，是被实践论证过的知识。

鳖甲和石膏需要先煎十五分钟。硬而发白的碎甲片和晶体会在热气中逐渐软化和消融。败酱草有长形的碎穗花头。白术，切成小而圆的片状。黄精，短短的褐色树枝。电药罐很快发出突突蒸汽蹿动的声音。五分钟快煮，十五分钟慢煮。这样头一遍新鲜的褐色药汁就散发着热量，被灌进了大口玻璃瓶里。续上水，再熬三十分钟，是第二遍的药液。混合之后就是一天里要服用的剂量。

草药蒸腾出略带辛辣的香味，时间一久，便渗透到空气和物质的每一个分子间隙之中。有时在皮肤、指甲和头发上也能嗅到这种无孔不入的气味。衣服上也是。洗不干净。

她说，如果某天LP（Lonely Planet）的西藏版本要更新日玛旅馆的资料，也许会在书里写：一个年轻的患病女子和她的药，成为这个已破落的老旅馆的标志性景观。

时日久长，能够分辨走廊里响起的不同声音。旅馆女招待日益肥胖，总是穿着一双胶鞋走路。有时带着客人来开新房间，有时半夜为喝酒晚归的客人开门。腰间的一大串房间钥匙哗啦作响。也许是在走廊里遇见一对晚归的鬼佬，大声发出不满的絮叨。有窃窃笑声。门打开又关上。隔壁的卫生间里发出哗哗的放水声，电视里的晚间频道播放着肥皂剧。楼下的民居传过来狗吠，它们在深夜时常发出不安的骚动。住在旅馆房间，如同栖息在一条河流两旁。日夜听闻它水波晃动的节奏。

她的房间在三层走廊的尽头。墙壁和天花板的白色粉漆上有手工描绘的花纹。花朵、动物、吉祥纹彼此交织。窗框和屋檐绘着花枝藤蔓的繁复线条。也许因为一直生活在荒芜灰色的群山包裹之中，藏人热爱纯正的色彩。宝石蓝、石榴红、鹦鹉绿，时间长远，颜料已被空气褪损。她熟悉那些花纹，闭上眼睛，能模拟出它们在黑暗中如同万花筒碎片的奇幻线条。

床位正对的墙壁上，挂着一幅用镜框装起来的黑白照片。旧日西藏贵族妇人，坐在椅子上，身后站着三个侍女。粗糙的复制技术使她脸上的光线变成一块一块的灰色阴影。发髻高耸，身形僵硬，可以看到脖子上挂着的大颗松石和珊瑚珠子，发出模糊微光。妇人闭紧傲慢的唇角，眼睛直视前方。整张照片笼罩在一种宿命的气氛中，使人有畏惧之心。她曾试图爬上书桌，用衬衣把这张正对着床的黑白照片遮蔽起来。这样才能入睡。

八廓街蓝天烈日，白云朵朵。熙攘人群如潮水流动。那些陌生人皮肤的气味，他们的形体色彩声响，如同被炽热温厚的泥浆包裹。沸腾的生命力。广场上，有进行全身跪拜的转经人。这些风尘仆仆的苦行者，以顺时针方向围绕庙宇前进，跪在地上，迅速地将双手伸向前去，全身匍匐在地，将肘部弯曲并将双手揖于额头以示礼拜。动作也许会持续重复一百或两百次，直到筋疲力尽。这种行为象征着来自内心的谦卑，在伸长身体全身匍匐于大地的时候，彻底终结自我幻觉。

她说，一个完成了自我终结的人，将清除干净所有他对万事万物的眷恋之心。

「2」

她在近两个小时的手术之后被抬回病房。有人把她抱到病床上，从麻醉中被唤醒，见到的第一张脸，是那个陌生男子的脸。神志依旧昏沉，饿，并且干渴。六个小时之后才能喝水。不能吃东西。她在发烧，额头滚烫。浑身好像躺在火焰焚烧之后的余烬之中。她只是渴望自己能够入睡，这样才能躲避这种煎熬。她再次入睡。醒过来的时候，已经天黑。

他是一个出版社的编辑，慕名而来欲探访和约稿。她不知道为何会告知他自己所在的地方，也许是电话里那陌生男子的声音有一种亲切平和。他走进病房的时候，她手背上的静脉插着针头，身体不能移动，正费力伸出手臂去拿床边柜子上的茶杯。茶杯里放着手术前洗肠的药粉，她无法自己倒水泡药。她在手术之前已经开始输液，进行身体消炎。

同病房里两个已经做完手术的女子，来探望的同事或朋友源源不断，双亲家眷陪伴左右。利用苦痛的时机哀叹撒娇是一种特权。她显得异常安静，没有一个人来探访。枕头边放着《老子》和《六祖坛经》，只是长时间地阅读，神情自若。她不喜欢求助。也不和周围的人说话。黑发潦草，不施脂粉，穿着过分宽大的病号服。

输完液，她带他走出病房，在医院的小花园里小坐。两三株桃花开得正好。她坐在石凳上，看着那些在风中纷纷坠落的艳丽花瓣，说，我已经不写作了。不知道什么时候再开始写。又低声似乎自语，今年春天，我没有好好看过桃花。

他说，没有家人和朋友来探望你吗?

没有。我一个人住北京。我没有此刻想见到的朋友。

那做手术的时候，我过来看看。

如果你有时间。好的。

她答应了他来。于是他是唯一陪在她身边的人。他整夜陪伴在她的床边。床头的小灯一直亮着，每次一睁开眼睛，就看到他正在观测她的输液管。输液的速度是否正常，或者是否需要换新的输液瓶。她输了一晚上加了镇痛剂的葡萄糖和消炎药水。下体涌出温热的血液，子宫在出血，腰部酸涩沉重，难以忍受。一翻动身体，伤口就被撕裂两边。疼痛。

她反复折腾，难以入睡。脑子里残留着麻醉剩余的作用，一闭上眼睛就出现幻觉。黑暗中无数快速飞行的明亮小物体，互相交织穿梭，奇幻瑰丽。又见到自己在梦中写作，一行一行，流畅优美的句子在暗中出现，又消失无踪。

他把枕头顶在她的后腰上。轻轻抚摸她湿漉漉的头发。他听到她嘴唇里发出的呻吟。手指带着微微湿润的温度，轻轻按在她的眼皮上。他说，庆昭，睡着。你要睡着。于是她闭上了眼睛。她想起来了他是谁。

那一个夜晚无限漫长。她说。仿佛与他一道登上一艘在黑夜中出发的船。黑暗大海，发出微光的彼岸。他整夜没睡，听着她的零散言语，挨到天亮。早上六点半，护士来拔了针头。他要赶去单位上班。她醒过来，脸上有了清新的气色。这个疲倦的男子在病房的水龙头下用冷水冲洗头发和脸，然后站在她的床边与她道别。他穿着白色衬衣，个子不高。

他说，手术很顺利。坏东西都取出来了。护士从手术室里出来，拿给我看的。你会好起来，庆昭。记住我的名字。我是宋。

「3」

第二日。从拉格到汗密。步行九个小时。

下午四点多。他们裹着沉重的雨衣雨帽走路。穿越一座山头连接着又一座山头的原始森林。最后一片无边际般的广袤树林。天色阴沉，大雨滂沱没有停歇。此间路途在树木之间曲折迂回，树叶间隙坠落密集的雨点。小路由烂泥和碎裂的石子铺成，溪水奔涌汇聚。胶鞋一直泡在冷水和烂泥中，完全湿透。

她伸出手，看到手背上一条蚂蟥，竖起柔软饱满的身体，晃动带有吸盘的尾巴，寻找更新鲜芬芳的血液，而它另一端的吸盘已经扎入皮肤。手腕上还有三条。她分别掐住它们的尾巴，果断地用力扯下。黏湿残缺的肢体纠缠在手指上蠕动，刮擦在石头上。不用在意它们是否死亡或消失，反正遍地都是。他们已经进入蚂蟥区。背囊、雨衣、绑腿、手套上几乎都是蚂蟥。这种软体动物栖息在树叶及灌木草丛中，只要有人经过，碰蹭这些植物，蚂蟥便会依附在人体皮肤上，把极其灵敏贪婪的吸盘精确地扎入血管，并持续深入。

因为释放出来的毒素破坏凝血功能，所以伤口处涌出来的血液不能凝固。它们叮在她的额头或头皮上。这温柔的吸附产生轻微的酸痒，有时候只有流下来的鲜血淌在眼睛上，才有知觉。如同流汗一样自然。她很久没有看到自己的血。血流得非常多。仿佛一种更新。

她比他走得快。站在昏暗的森林深处等待他赶上来。双脚浸泡在水流之中失去知觉。即使已经完全没有力气，意志力仍支配着僵硬和虚弱的躯体机械前行。若停下来，浑身湿透的衣服会渗透出逼人寒气。必须要依靠行走来提供身体的热量。

她抬头观望那些古老高耸的柏树和杉树，因为长久雨水浸淫，不见天日，树木散发出腐朽的气味。每一根树枝都裹满绒毛般青黄色的地衣苔藓。那也许是出现历史比人类还要长久的植物。死气沉沉。终年雨水绵延不绝，不见阳光渗入。它们使森林成为幽暗的洞穴。所带来的气场令人觉得受到逼迫。这是彼此对峙的时刻。大江的轰响声音，仍在右侧远处回响。

寂静中只听到风雨穿掠而过的声音。森林发出深沉浑厚的呼吸声。她明确地感觉到了这种呼吸。她相信它的生命力。这一个瞬间与它交会而过。这能量渗透她全身的骨骼、肌肤、血液。呼吸在剧痛的胸腔中变得新鲜而纯净。内心的重重障碍被一层层地刮除。思虑寂然而清透。这是踏上路途，每日长时间行走，所感受到的变化。来到与世隔绝的地方。闯入森林的心脏之中。它的核心封闭而强盛，也不悦人。也许它象征着和地球同步的时间。而她穿行而过，仿佛从此地到彼岸的蚂蚁，穷尽一生，不抵它的此起彼伏。

她似乎已经可以忘记生活中的大部分人。如同忘记宋的面容。他曾经陪伴和照顾她，是对她充满怜悯的男子。手术后在医院里恢复的五天，每天需要长时间的输液，她的手背上都是针孔，血管已经僵硬。他来看望她，用手帮她揉搓发酸的血管，倒了热水擦洗汗湿的身体。在病房里那些陌生的妇女面前，蹲下去帮她洗脚，擦干之后再替她穿上干净袜子。

她觉得需要与他告别了。这个男子进入她生活的时机太过偶然，避开她所有能够在日常生活中建立起来的设防，直接进入内部。他甚至看过她体内割除下来的病灶，那散发着腥味的一堆血块。无处躲避。她不能够适应一个陌生人离她如此接近。他们只不过相处了十天。却仿佛已经共同过了十年。只有一个结婚十年的丈夫才会坦然地蹲下身为患病的妻子清洗足部。她的窘困处境被他看得太清楚。她觉得他侵占了她。

她出院的时候，拒绝他来接她。她说，我们不应该再见面了。她已经退无可退，必须要逃脱。不愿意被别人看到孤立无援。醒来的时候，他来看过她，并且已经离开。他给她带来春末的栀子花，就放在床边柜子上。翠绿叶片，洁白喷香的花朵，扎成一小捆。他留下一张字条，写着：如果你不再想见到我，我可以消失，记得我的名字和电话号码，随时可以来找我。他们并没有正式地道别。

她收拾了病房里的用品，洗干净头发。换上丝绸裙子和绣花鞋，黑发散发着清香。在镜子里看到自己病容初愈的模样。走出医院大门，在路边打出租车。明亮温暖的阳光落到额头上。她在刺眼的光芒里闭上眼睛，呼吸到来自人间的第一口污浊而厚实的空气。一次手术如同新生。

「4」

她和自己的出版商告别的时候，并没有告诉他她将会去哪里。她说，我要消失一段时间，不用试图打电话或发电邮给我。我会自动出现。他说，是去写作下一本新书吗？这将始终是他最关心的问题。这一刻他的态度无比真切。她看着这个打扮精致的中年男子，他有偏执的工作狂倾向。他们合作了很长时间，他懂得她的脾性。他从不试图靠得她太近，但又认真履行彼此之间的一切约定。这种距离感和对彼此工作倾向的认同是重要的。无可否认，她也一直有偏执的工作狂倾向。他曾经为了约到她的一本书，与她见面二十次。这是惊人的。不断地约她。持之以恒。

她坐在他办公室大桌子对面的沙发上，看着窗外灯火阑珊的北京夜色。她说，不知道。也许写，也许不写。我需要结算一些稿费维持生活。他把现金支票开给她，说，要不要再预支一些稿费给你？她看着他的钢笔停顿在上面的姿势。她说，暂时不用。他耸耸肩，对着支票上依旧湿润的背书吹了一口气。也许事实上他也并无慷慨的打算，他的付出范围有极其清楚的界限。但他需要制造一些彼此之间看起来情真意切的气氛。而每次总是被她识破。这种小小的心理游戏，躲不过她敏感的扫描系统。

他们认识已经有五年。这五年里，她的身边有一些人失踪，她从一些人身边失踪。人与人之间，就如能量空间里的原子，原本就是毫无关联的硬性碰撞。是带有敌意和疏离本质的碰撞，即使貌似在接近。这样纷扰的世间人情。但是他与她，还未在彼此的身边失踪过。他们始终在该出现的时候出现在对方面前。也只有他才真正耐心和长久地关注她生活中发生的任何一个变化。因此得出的推断是，利益关系永远强悍过一切情感关系。

只有利益，是彼此最稳固最坚定的支撑。它也有可能在一夜之间崩溃，如果这种利益的结果不再成立。在此前提之下，它就是一堵坚不可摧的铜墙铁壁，不用对此放置任何多愁善感的猜测、衡量、玩味，试图印证和论断。它的客观性和特定条件性，注定它不会像情感关系一样容易被任性质疑和推翻。他将会是她身边一个长期的不会失踪的男子。前提是她依旧是他最稳妥的现金流。

他将始终关注她。不离开她左右。因此他是她离开这个城市之前唯一需要正式道别的人。唯一的一个。她站在世间边缘的位置太久了，始终不能够沉浸进入，所以始终寂然。她把一切现象以及人的作为，给予分析、辨别、归类，直至解构，最后发现它们不过是一些机械生硬的零件。这样的时刻，她对自己是有羞耻之心的。恨不得对着自己的脸抽上热辣辣的一巴掌，对着冷静的现实主义的脑袋，说，滚蛋。

他带她去一家酒店的高级餐厅吃晚饭。他像一个丈夫一样熟知她的口味。坐定下来就自作主张点了鱼生（她喜欢海胆、金枪鱼、北极贝），寿司（上面要有大颗滑动的红色鱼卵），颜色清透的梅子酒。她那天穿着一件粉白色细麻刺绣上衣，头发一贯的潦草干燥，显得漫不经心。他们相对而坐，坦然自若。

侍应生若有好奇，会需要一些小小的时间猜测这对男女。如果是原配妻子，她显然过于年轻，不适合他的年龄。如果是情人，她又不够年轻艳丽，姿态也不够讨好。如果是同事，他们之间有多出来的一份随意和默契。如果是女儿，她的年龄又显得太大……而事实上是：他们是甲方和乙方。她微微独自发笑，并且放松地给自己点了一根香烟。

「5」

她出租了自己的房子，所有的东西都留在房间里：书籍、铸铁床、丝绒沙发、绣片相框、版画、青花瓷、古董家具、大堆衣服鞋子……新房客都可拥有。她不能带着大堆行李迁徙。在离开这个城市之前，她获得对自己生活的检验，印证她所拥有的一切，都只是身外之物。

这个城市里并不存在可以有丝毫留恋的地方及人。她的生活里，也不存在根基。麻醉的那一刻，她明白了自己的无所留恋。她可以说走就走，不告而别。她的过往历史经验，以及对将来所有的蓝图计划，包括目前的处境，不过是收拾之后一只旅行包的分量。如此不能承受的轻省。她带着自己去哪里都行。她与这个世界可以脱离关系。

投奔自然。不要装腔作势的派对。不要用以麻醉的工作和关系。不要幻觉。她收拾了一个行李箱，里面有经常阅读的几本旧书、一个笔记本、几件布衣布裤以及一双人字木拖鞋。就这样，她决定出行，去拉萨居住。

第一站，坐夜机抵达成都。深夜十二点多，给预先订好的旅馆打电话，让他们把房间保留给她。天气闷热。在机场大巴里她带着自己的行囊浑身汗迹，昏昏欲睡。又换到出租车里，疲倦，嗓子干疼。这个小旅馆，只是偶尔在杂志上看到游记里一个显然是带着自己的幸福感在旅行的作者说，坐在旧木楼的走廊下吃新鲜核桃，晒太阳，坐了一下午。但是她在黑夜中抵达的只是一个陈旧的招待所。除了圆形门洞映照出来的浓密树影，有久违的东方园林的美感。

房间很简陋，但对她来说，只要卫生间里有热水淋浴便觉满足。

一楼的房间，关不上窗子。睡觉的时候，就把钱包和证件小心地压在枕头下的床单里。她裹着自己湿漉漉的头发，躺在床上，显然是未曾换过的枕巾上有陌生人头发油脂的气味。外面楼上的房间里有人搓麻将到凌晨，哗啦哗啦地洗牌。时而有女子轻佻的笑声扩散出来。她躺在散发着古怪气味的单人床上，辗转反侧，不能入睡。

在成都飞拉萨的航班上，隔壁的男子凑过来问，是第一次去西藏吗？她点头，觉得他很温和。但却不愿意对他多说话。也不想对任何陌生人说话。两个小时的沉默，可以觉得很静。在异常湛蓝的天空和大团白云之中，看到有三座雪山山峰穿透了云层，突兀地矗立在云天之间。在万籁俱寂处，万物寡言。从来，越是超越众生的精神，就会越深藏不露而难以触及。它们这样寂寞地高过了一切连绵起伏的山脉。

一个单身女子的旅途。她从未觉得独自出行是一种耻辱。虽然她没有婚姻，没有孩子，没有爱人，长期孤独，患着疾病，一路颠沛。无可否认。这是她的人生模式。就跟童年女孩子的残臂，镯子戴上手腕十八个小时之后的碎裂，即使手术也无法预知结局的疾病，诸如此类的种种，一样的理所当然并且无可置疑。

拉萨。海拔3658米的高地。在飞机降落的时候，她长久地凝望着连绵起伏的青色山峦。没有浓密的树木踪迹。湛蓝的天空。没有一只鸟飞过。

「6」

善生，你带着伤口存在。你本身就是一个巨大的伤口。所以你不爱你自己。他在少年时代被剖开的身体，塞入黑色的煤块、石头和金属。一半静默无声等待着点燃，一半则冷漠无情毫无希望。这所有的时间。被强行塞入的黑色团块，强行缝线，疤痕不能痊愈，只会随着皮肤生长，日益扩张。

人的一生会带着很多难以启齿的秘密死去。她对他说过。她知道他是一个有伤疤的人。她的远游和漂泊，使他觉得自由。他宁可独自带着众多的秘密死去。宁可如此。他服从孤独和自身的历史。

那些企图靠近他的女子，对他的黑色团块没有知觉，也无畏惧。他从小就与女子有亲缘。任何异性见到他，都会感觉到这种磁性。他的整个人，那种淡定和暗昧，如同质地精纯的水晶折射到任何方向。她们可以把他当做想象中的兄弟、情人、朋友、丈夫……任何一种类型的男子。这是他的魅力所在。他在公司的咖啡室里用热水冲咖啡，那个女子在他身边走过，说，糖和牛奶在哪里？他说，在柜子里。抬起头，看到相貌平常的年轻女子，穿着古驰白色衬衣和平跟鞋，中分线长发，左手中指上有一枚硕大的钻石戒指。她后来成为他的第一个妻子。

荷年十二岁去了美国，一直读到普林斯顿大学的商业管理硕士毕业，回国参与家族企业，是润和企业董事长最为宠爱的小女儿。

公司里数个单身的高层管理早已对荷年虎视眈眈。男人也一样希望能走捷径。那时他大学毕业，在润和已经煎熬了一年。能力太强，性格孤傲。部门经理把他当做潜在威胁，并不容纳。彼此来回踢了几次球，他的职位换来换去，最后只能处理一些琐碎事务。身边的同事刷刷流动，不断有人辞职或被辞退。

这个世界并不公平。他早已获知。赤膊打斗，被打翻在地，像泥沙一样被践踏。捉襟见肘，怀才不遇。人与人之间的关系，就如同一群过冬渡河的羚羊，奋力泅渡，争先恐后地攀上对岸。如果不踩着同伴的尸体上登，就要在冰冷的河水里淹死。大家没有太多时间。都需要存活或更好地存活。

他知道自己不会被辞退，但即使留下，前景也并不光明。如果不能获取更高权力，就没有空间来实现想法，也就无法拥有明显业绩来表明个人存在的价值。他必须控制自己的恐慌和无力感。而他也善于沉着潜伏和等待。

她喜欢他。他们有了约会。一切由她主动。她像一头心意执拗的母兽，殷勤逡巡于他的周围，与他一起开会、工作、出差、出国……其实是和她的父亲一起，周全仔细地考量这个被选择的对象。他来自南方小城，母亲是物理教师，父亲早逝，家庭不过是洁净清寒。清华毕业的优等生，潜力强劲。从来都是不卑不亢。眉梢拖延的单眼皮眼睛，不动声色。穿着白色衬衣的英俊男子。她被他沉默散发的灼人能量包裹缠绕。他也许将是她穷尽一生都无法捉摸清楚的谜底。他们根本不是彼此的对手。

好出身的女子其实都单纯，以为世间无事不可为。普通家庭出来的女子，不能够与她相比。即使她们比她才貌出众，更努力上进，但命运不会因此而轻易带来坦途。她比他年长三岁。有名校学历背景的智商。也与门当户对的世家子弟谈过几次恋爱，谈至松懈便优雅离散。她因此觉得自己准确，战无不胜。这被放大了的力量，不过是寄附在家庭的权力和物质基础之上。

她以为能够控制他。在他们彼此的关系之中，她显得执拗天真。她以为这就是爱。他应该也肯定爱着她。

他答应她的求婚，决定非常果断，没有犹豫怀疑。因他知道，这样的机会，一生也许只会出现一次。之前他甚至未与任何一个女子有过正式的关系。他自视甚高，不愿意轻易把自己交付给别人。他不爱任何女子。她并不吸引他，也不与他同一个质料，却也许是他唯一适合用以结婚的女子。凭借这段婚姻，他可以轻而易举进入润和高层，并在这个家族企业里占据一席之地。

他一直希望自己早婚。这样就不会有情感的负累牵挂，可以一心一意去做事业。他不相信爱情。婚姻是现实，是必须要处理掉的问题。任何婚姻的本质都是交易。既是交易，就需要大家各有付出，各有所得，并且两方平衡。否则就难以长久成立。他们彼此之间非常合适。

他给母亲写信，说，妈妈，我即将和荷年结婚。我将回上海主管分公司。我们在上海新购了别墅，房间宽敞，你是否愿意来与我们同住。母亲回信，说，你的内心明了，我很感安慰。在老家居住很好，也不愿意与未来儿媳有任何冲突。你只需带她来家里办一次婚宴告慰亲戚朋友，便已算周到。

那年他二十四岁。男人过早成立家庭，有助心意专注投入事业。这是他设想过的生活模式。他决定结婚。而那时候内河是在哪里。

「7」

她有两三年时间，长久游荡和居住在东南亚那些宗教气息浓烈的贫穷国家里，混迹于小旅馆和街头巷坊。主要是喜马拉雅山麓周边的国家地区，克什米尔、尼泊尔、锡金、不丹、老挝……给地理杂志做专栏，写稿，采访，用以谋生。

她去英国与她的母亲见过一面。母亲是她生命中的第一只蝴蝶，背井离乡，常年在异国生活。很长时间里是个舞娘。后来嫁过几个有钱男子。她们见面之后依旧疏远。但她知道了血液里那些盲目和奔放的气质来自何处。她不想再花她的钱，也不想与她住在一起。

她的生活就是长期旅行，到处为家。在廉价小旅馆里一住数月，然后再换下一个国家，下一个城市。对脚下的土地没有任何界限的认知感，却有更真实的感受。仿佛随时可以在路途上死去。一直居无定所。她依旧有信件来。

善生，我在加德满都，坐在小饭馆的门边上，看到喜马拉雅山的雪。白得发出蓝光。不知道是不是因为与天空连接的原因。那种蓝光，根本不可能属于人世……我从不曾后悔自己所做的事情。少年的时候，你以我为耻。就如同你对自己隐藏的耻辱感。你不能原谅我，在意并且憎恨我所做过的一些事。但是你如何来界定一个人生活是出于一种高贵的属性，还是放任自流，或者哪一种更接近幸福的真相？生命各有途径，不管它最终抵达的目的是卑微还是荣耀。这是力量的控制带给我们的界限所在。

请原谅我。原谅我们。也许我们都将终究获得释然。

……

他在公司的高级主管会议间隙读到的句子。他那时的生活由报表、会议、公差、飞机头等舱和高级酒店的套房组成。如果有空闲宁可选择躺在沙发上看体育频道，直至看到入睡。没有恋爱，没有休假。成功带来进入更高阶层的生活的可能性，带来一个属于男性领域的内心满足。这一切曾经是他最强大的精神支撑：最大的社会价值化。

每天早上醒来，淋浴，刮须，做完脸部保养，挑好衬衣西服和领带，全部整理妥当，拎着公文包开车出门。办公室在上海最为昂贵的写字楼里。那也许是亚洲最高的一幢楼，直冲云霄。电梯刷刷上升的时候，人的耳朵有微微震动。耳鸣带来眩晕。他在那里每天工作超过十二个小时，有时候一周里飞四个国家。上午在南半球，次日早晨出现在北半球。这是他十年中的生活。

他试图建立与外界赤身搏斗的规则，并以此作为标杆，来衡量生活的得失。踢掉一个重要的竞争对手，把胜利感作为给予内心血腥需求的最好回报。或者在一张支票上签出去的数字，在一个具体的个位数之后，迅速熟练地画上更多位数的零。需要更多的资源占有，更多的话语权，更多的肾上腺素的亢奋，印证虚假繁荣的热烈声色。

此刻他只觉得无限寥落，捏着信纸的手指微微发凉。他们之间的本质区别，是在少年邂逅的时候便已昭然显现的内心方式。她总是在行动，时而沉溺时而孤立。而他对这个世间从无进入的激情，虽然他一直貌似比她更为热切真诚。他参与这个社会的建设和改造，对世俗的成功和业绩有着积极的野心。但他是这个世间的漫游者。他内心的世界，并不在此地。

他做了自己力所能及的，能够做到的事情。一种社会化男性身份的认同。像电脑游戏里的孤胆英雄一样，抵达指令中的任务目的。这是他为自己所存活的世界所做出的贡献。是对于内心的说服。冷淡地旁观自己东奔西走，谋杀掉生命的热诚和感性。

也许这只是一个命运的复制程序。也许某天他会突然觉醒，看到做的一切，不过就是虚拟电子游戏中的行为：拿到抢夺来的武器和暗器，单刀独斗，以为自己是拯救世界的英雄。直到游戏结束，屏幕上打出Game Over，才知道自己是谁。

但这就是他的时间。被大口大口地吞噬掉，不曾留下任何回声。他从一个年轻男子进入中年，看着自己的肉体和精神开始苍老疲惫。他最身强力壮、活力充沛的十年，交付给了俗世的荣耀和繁华，被供奉在野心的祭坛之上。

她在异乡小旅馆里写给他的信。一字一行，始终笨拙幼稚如刚刚开始学习写字的孩子，没有章法，仿佛画图一样地写字。和她写在黑板上的名字一样。有时候是铅笔。有时候是圆珠笔。用她能够找到的任何一种廉价的随处可见的笔和纸张。或者是拆开的空烟壳。她抽一种日本的软壳包装的淡香烟，上面有细小的黑色英文。在她经济状况略有好转的时候，她抽这种烟。那烟壳是白色和淡褐色的线条设计，摸上去质地柔软，具有韧性。

她曾经写给他的信和诗歌，他没有仔细阅读过。每次都是一扫而过，然后就放入抽屉之中。但是他记得一封一封地做上记号，从来没有遗失。他知道只要不丢弃，纸上的墨迹不会随着时间消亡。他总是自以为是地相信，她最终会留下断续的线索，而他最终会重新回头去拼写和回忆这些字句。除非在某天他烧掉这些旧信，让它们在火焰中成为细碎的灰烬，回到空无的尽头。但这种假设不会存在。这么多年。只有她给他写过那么长时间的信。那么多的信。还有那些诗歌。

那些信在数十年后回头来看，其实并非写给彼此。那原本是写给自己的信，在信里描述所闻所见所想的一切琐事……用文字见证缓慢的生长，青涩辛酸的年少时光，所经受的煎熬挣扎。青春的偏执和剧烈。这些用来写给自己的信笺，却由对方观看和保留。直到确定彼此消失。

他曾经觉得她也许可以成为作家，虽然她后来并未从事写作。那些信如此优美流畅，真诚细腻的表达，透露出来的旁观与世间渐行渐远的情怀，已经是写作最好的训练。她有很好的艺术创造和审美能力，写作、摄影、设计、绘画……对很多事情都有能力，但并不潜心挖掘它们。她只利用天分中的一小部分技能用以谋生，做过编辑、设计师、摄影师……但全部半途而废。她很少使用她的天分，或者说，她因为忽略而滥用它们。她并不看重自己，只想散漫地浪迹天涯。

有时候他会想象等到他们彼此老去的时候，再在一起，是否会有更多的理解。这种理解的界限是，他将不会再试图为自己所做过的一切做出任何解释。他将会因为隐藏了自己对这个世界的抗争和无能为力而觉得安全。而在他老去的时候，也许他会试图告诉她这一切。他所有的虚空、困惑、失望以及软弱。她也将如此。

「8」

汗密的宿地依旧是搭建的木棚，但比拉格更为简陋。房间里只有光秃秃的床板和潮湿的被单，肮脏得无法坐下。他们抵达的时候浑身湿透。卸掉雨衣雨裤之后，没有一处干燥。这一天走得格外狼狈。她看着雨衣和鞋子上滚动着的蚂蟥，逐一用烟头烫落它们。解下裹满泥浆的绑腿和胶鞋，把浸泡得发白的脚踝露出来，穿上拖鞋。

同样阴暗潮湿的小厨房，摆放着一张油腻的方木桌子，食物灶具都很粗糙。她在水龙头下洗干净衣服鞋子绑腿，拿去柴房烘烤。水里飘浮着大大小小的蚂蟥，还在蠕动。用木柴架起了火，把衣服挂上晾衣绳子烘烤。泡一大壶热茶。抚摸脖子上的蚂蟥叮咬的创伤。黑色细密的伤疤，一块一块突起发硬，也许在很长的时间里都不会消散。

这一刻独坐似已是至高的享受：换了洁净干燥的衣服，光着脚烤火，有热茶喝，能看到远处苍茫的绿色山谷，云雾萦绕，悬挂星罗棋布的白色瀑布，一条一条奔腾而下。秀丽如画，声音雄壮。屋外沼泽地有一群黑色的当地小猪猡跑来跑去。与世隔绝的山野。大雨瓢泼无人的黄昏。

又进来四五个新到的在此住宿的背夫。穿着当地山区人最为习惯的军队迷彩服，浑身湿透，脖子上还有蚂蟥叮咬后的血渍。却是反方向从背崩走过来的。从背崩到汗密，三十四公里的路程。粗壮高大的男子坐满狭小的柴房，纷纷点了香烟来抽，并好奇地打量这个进入了峡谷的年轻女子。其中一个男子开口与她搭话，你去墨脱?

是。一路的路况可还好?

从汗密过去的路上就有几处很大的塌方。其中一个塌方崩溃了数次，面积很大，恐怕越不过去。你们至少要等到雨停。大雨会令山体更不稳定。路上非常危险。前天有一个当地人在路上被山上掉下来的巨石当场砸死。

那个说话的男子再次重复，如果明天继续下大雨，不要出发往背崩走。你们过不去，到时只能走回头路。他说。

晚饭桌边。他们在一只发暗的灯泡下，吃腊肉白菜、豆腐汤、青菜。菜的分量很少，米饭是充足的。因为体力消耗大，就着辣椒能吃下好几碗米饭。善生说他黄昏时并未睡觉，去了附近一个营地找军人打听情况。那里有值班军人，也提到前往背崩的路途有很大塌方。这些坏消息并非道听途说。

她说，总归是要出发的。不可能就这样等着雨停。

是，那些背夫也已经走了过来。在这里滞留，情况只会越来越糟糕。往回走，一样要再过蚂蟥森林，再翻越多雄拉，路程也不容易。明天早上八点，准时出发。明天若能到了背崩，后天就可到墨脱。他起身拿了两小瓶白酒和几个午餐肉罐头准备送去给值班的军人。

他起身，看到她额头上流下一缕鲜血，伸手分开她头顶上的头发，一条肥大的蚂蟥匍匐在那里，吸盘深深扎入她的发际。他飞快地用手指捏住它的顶端，揪下来猛力甩在地上。它已经吸饱了血，躺在地上蠕动，无法动弹。

他说，这里有很多从路上带过来的蚂蟥。睡之前要好好检查一下床、被单和睡袋。

她说，现在才感觉头皮有些发麻。她用手背擦去额头上的血，神情自若。她已经对这种软体动物习以为常。

她从厨房打来热水清洗。她的例假还未停止，但量很稀少，没有影响她走路。或者说长时间高强度的走路，影响了出血。血被迫回流。只是半路上小解的时候，看到血水从身下涌出。走在路上，心意坚定，只想快速走过这些危险路途。她忘记这件事情。她不知道自己的身体是否受到损伤。

她在自己的睡袋里躺下来。熄灭了手电筒。一个小时之后。在暗中听到隔壁木门吱咯吱咯推开的声音。手电的光圈上上下下地晃动。他从兵营回来。他在黑暗中脱掉衣服，睡在简陋的木板床上。轻声询问，为何你还未入睡。身体有不舒服吗？

她说，没有。

他说，我担心你。以后的路，恐怕只会越来越难走。

她说，我觉得走路使人变得单纯而且强壮。穿行在峡谷高山之中，使人觉得自己仿佛是未戴着王冠的国王。如果我们抵达峡谷，再次出山，希望即使走入茫茫人海，也会如同穿过无人之境。

他说，能对我谈谈你的写作吗？

我已经很长时间没有写作了。在国外，一个职业作家的定义是，只依靠版税收入来生活。这是一件很有荣誉的事情。但在中国，没有职业作家。很多作家都在做着其他职业，所以有些人写作的动机并不单纯。他们把写作当做晋升或获取权势的阶梯。作家变成了官僚。我希望自己能够成为一个专业的写作者。每年写一本书，做到用版税维持简单生活，只写真诚有效的作品。我的出版商对我说过，如果你每年写三本书，或者三年写一本书，你都可能写不下去。每年一本书，你就可以一直写下去。因为你的工作将是有序而专业的。但我现在停止写作已经两年。现在我是一个休息的人。

他说，为什么不写了?

她说，觉得生活里似乎应该有更重要的事情。虽然我还不知道那究竟是什么。但我必须要先放下写作，观察一下它是否会逐渐浮现或自动出现。

他说，你喜欢写作吗?

她说，喜欢。它带来自由。虽然这也是一种被沉痛的力量压抑住的自由。我从来没有见过比写作更为孤立的事情。那也许因为我本身是一个孤立的写作者。我一直不知道这种孤立原来是骄傲的。它是我自己的事情。

他说，我从来不写作。

她说，很多人都不写作，他们只是放弃了一种深入自己内心的可能性，也许他们觉得生活本身就是最好的解决方式，不用对此发出疑问。写作与此相反。它始终要带着疑问和对抗进行。

他说，你有爱过别人吗？

她说，我能爱上任何一个男子。因为我觉得到了最后，任何一次恋爱，其实是在与自己恋爱。那个男子是谁，似乎并不重要。他们是工具，是介质，是载体。他们是一个事件，不是我的信念。

我不觉得在城市里能够有爱情。人们已经习惯把感情放置得很安全。掌握完全的控制权。不让对方知道自己的内心。不表达对彼此的需要。不主动，也不拒绝。他们只相信自控自发的绝对行动。相信现金。相信时间。如果有什么东西要以贸然的姿态靠近，那么将会被他们义无反顾地一脚踢开。

她说，我们不会知道对方都曾经经历过一些什么。就仿佛宋，他不会知道我曾经面对过怎样的男子，或者说面对过怎样的自己。

「9」

婚期定在七月。在美国注册并举行仪式。豪门婚礼，低调却郑重。她的婚纱由纽约名设计师手工缝制，款式朴素，镶嵌密密的海水珍珠和细碎钻石，一看就知道价格不菲。他不记得结婚的日期，只记得是阴天，雨水时断时续。盛装的妻子穿着高跟鞋，下了轿车，没有在意，一脚踩进浅浅的水洼中，飞溅起水花湿了裙角。她的手中捧着他买的白色小苍兰。

荷年的生活方式和思维方式非常西化，但去老家看望婆婆的时候，谨言慎行，态度恭和，方式却很妥当。他在小城市最高档的酒店里操办了婚宴，只为告慰母亲的意愿。他学有所成，携带怀孕的妻子衣锦还乡，带给她巨大的荣耀和安慰。孤儿寡母的酸涩过往终于过去。曾经在亲戚中备受冷落和歧视，现在这些人又都一一笑逐颜开地围拢过来。吃喜酒，真心庆贺。

母亲全然接受善生的选择。她对他的妻子并不显示出过分热切和关心，他们是内心冷淡的母子，一切太过理性。她只是尊重他的婚姻，按照老家惯有的习俗，送给荷年厚实的黄金龙凤镯子和一枚家传的翡翠戒指，都是贵重的赠与。荷年跪下来给婆婆倒茶，磕头，神情自若。她的大方得体，令善生在旁边看着心存感激。

临走之前的晚上，母亲与他话别。母亲的头发都已发白，人更清瘦。说，善生，你从小到大，一直都是很好的孩子。一个人最应训练自己的素质，便是自知之明。清楚自己要的是什么，做的是什么。男人应该早婚，这样心有所属，情有所归，不会随便放纵自己，生活也有重心所在。荷年的出身，会成为你事业很好的后盾。我眼看着你过上如此明确无误的生活，心里不知有多宽慰。

他说，我知道的，妈妈。

想起来小时候偶尔为你操心，你与苏家女孩在一起，总是被她牵制，做出不伦不类的事情。幸好现在已与她脱离了干系。她被生母接去英国。这样桀骜不驯的女孩子，在这里只有让人嫌弃。还是在国外待着好。

他沉默不语，知道母亲一直为往事记恨在心。

晚上，他与荷年一起睡在他少年时的旧房间里。所有的东西都未曾改变：书架，书桌，墙壁上贴着的地图开始发黄，抽屉里还放着小学时动手制作的航空飞机模型。原先那张硬木板的旧床，躺上去依旧吱吱地响。荷年疲累，早已入睡。他半梦半醒，并不安稳。空气中有小花园里栀子和蔷薇的花香。一阵一阵，浓香扑鼻，令人几近神魂颠倒。天空中疏朗的云层，半掩着明亮的一轮圆月。清凉夜风呼啸而来，带着沿海城市的湿润水汽。

突然感觉身边躺着的女孩要起身离开，长长发辫扫过他的脸庞，身上裙褶发出响声。那种从皮肤散发出来的温热的气息，依旧熟悉。她似正坐在他的床边上用手指梳理着头发，把睡得松散的辫子重新编扎起来。

他疑惑地对着黑暗，轻声发问，你起来了。要回家了吗？再放眼看去，从半开的房门外洒进来异常明亮洁白的月光，却原来是月光惊醒了他。他的眼睛饱含泪水。这一刻，他似乎依然是旧日惘然的少年。而女孩早已经远去他乡，不知所踪。

荷年婚后因为怀孕暂时停止了工作。心满意足，只是专心在家里等待生产。她单身的时候，每年在衣服鞋子皮包首饰化妆品美容健身按摩等各个项目上，开销很奢侈，但也习以为常。婚后依旧是精致华贵的少妇，陪伴善生出席各种商务活动或派对宴会，都很合衬。

善生变化不大，西装衬衣领带由她搭配，她照顾他无微不至。他只依旧爱好健身，对身体关注。不喜欢高尔夫，虽然也陪重要客户去打。保留在大学时形成的习惯，练习跆拳道，并坚持长跑。

结婚时她已经怀孕两个多月。她的肚子逐渐隆起，带着肉体无法自制的熟坠。他有时在深夜因为不明所以的微微恐慌失眠，看到身边沉睡的女子，因体重增加而发出粗重的呼吸，觉得她非常陌生。某一刻在黑暗之中，他想不起她的名字。这个名字与他毫无瓜葛。现在它入侵了他。就如同她的肉体，带着一种强制性的指令，使他在生活的处境中被胁迫。他是她的丈夫，并即将是她孩子的父亲。

他对自己说，他也许能够爱她。他需要这个幻觉，强而有力。晚上共眠，她用手抱着他的头，把头埋入她的怀里。她的脸贴着他的额头和眉毛。他睡在她的胳膊上。这是她习惯的爱抚方式，要做他的守护者，把他从母亲二十四年的约束压制中接管过来。让他变成她的孩子，并且怂恿他在她的身体里又复制出生命。也许荷年的心里也很清楚，这是用来维系他们之间感情的最强有力的纽带。

孩子在春天出生。是异卵双胞胎。孩子放在手里的时候，他突然感觉惶惑。想起父亲去世的时候，他抚摸父亲的尸体。肉身如此轮回，人完全不由自主。山茶花一样皎洁的小脸小手小脚，激发他内心深沉剧烈的父性，也是他自小就渴望得到的感情填补。他看着这对粉嫩喷香的婴儿，感觉到心里的完满。最起码在某个时段，这种完满完全补偿了他。

她在电邮里获知他的喜讯，寄来一对小金镯表示祝贺。邮戳显示她的所在地是巴黎。她说，我内心的喜悦难以言表，善生。很希望某天能亲眼见到他们。我在去耶路撒冷的旅途中认识法国男子伊夫，他是一个摄影师。认识两个星期之后，我们决定结婚。我跟他去巴黎生活。

「10」

清晨启程前往背崩。远处云雾缭绕，路下沼泽软湿。大雨依旧瓢泼没有停止。他们天未亮便起来整顿好行装，动身前往远处的森林。一起上路出发的还有当地的马帮和背夫。他们赶着驮满行李的马，自己的身上还负载着至少一百多斤的箩筐货物。这些看起来健壮而沉默的人，脸上平静如常，没有任何多余的表情。

他们已经习惯峡谷中的雨季。在较为开阔的峡谷地带，雨水会引起山体崩塌和泥石流倾泻。山崩地裂。大大小小的石块连同被击倒的树木，从陡崖上呼啸着倾泻而下，其力道和气势可以冲垮一切。群山被这突如其来的灾难声音震动，到处充满不安的骚动。活跃的地质活动任性并且肆无忌惮。人以生命为代价，与它们捉迷藏。

大雾还未随着夜幕完全散去。青翠树叶上挂满水珠。空气里都是植物腐烂的气味。鸟的声音清脆。远处依旧可听见大峡谷瀑布的轰鸣声。他们一路急速行走。在离开住宿地约十公里的地方，遭遇第一个塌方。从泥石崩塌形成的土堆上走过，底下是绝壁，雨水汇聚的瀑布就在旁边。从其中穿过，他们再次全身湿透。

她心生疑惑，想此地就是他们所形容的塌方吗。虽走势危险，但也觉可以应对。她想象不出那个大塌方的样子。他们才刚刚进入峡谷的塌方区。很快又走了三公里，看到早已走在前面的马帮和背夫正聚集在远处山路小径边，拿出香烟在抽，都已停歇下来。他轻声说，怕是有麻烦了。

走近过去一看，前面的小路已经随着山体局部崩塌而消失，代替的是乱石堆和被雨水冲垮的烂泥。激流从山顶冲落下来，直往山崖底下的雅鲁藏布江奔腾而去。地势极为陡直。整片塌方区约有六百米宽。能看到前面未崩塌的山腰上的小径，但连接处已经完全断掉。从所处的位置进入塌方区，得爬下约一百米高的断裂处，且没有路迹可循。估计一夜暴雨，崩塌又有发生，使地形变得更为孤绝。

所有的人看着这巨大的前所未见的塌方，一时说不出话来。她走到前面，观察地形，与当地人说话。走过来说，他们决定过去。

怎么过？他说，这里根本就没有路。

他们要从断裂处跳下去，过河水，走过乱石堆，然后再顺着悬崖爬。

如果山顶上刚好又有石头滚落下来，且不说是泥石流，就算只是一块石头，刚好砸中，不会有任何生还的机会。

那也比站在这里发呆好。这里很不稳定，随时可能会有地质变化。快速通过是唯一安全的方式。不能拖延时间。

此时，那几个背夫已经动身。虽然身负重物，但身形灵活而稳健。他们小心地沿着断裂处的石头和泥块，慢慢顺爬下去，半身浸入河水中，用手紧抓着大岩石防止被激流冲下山去。经过那条瀑布状河流，又在乱石堆上身轻如燕地择道而行，抵达对面山腰下的悬崖，用脚踩着泥地上由脚印叠加出来的凹坑，抓着小石块，小心地往上攀爬。

他说，我先跟着他们去，试一下状况。如果安全，你马上跟上来。他转身果断地爬下断裂处。

刚越过河流的时候，山顶上开始有响动。小股泥沙簌簌滑落下来，夹杂着石头，一块一块掉落。人的神经能够接受到这敏感的信号。站在对面山腰小径上的背夫们已经脸色大变，大声地叫喊，快，快，快点过来。而还未走下塌方处的另一边的马帮则赶着马开始往来路上后退。

她感应到危险来临。脸在瞬间苍白如纸。心跳得剧痛，似乎要跌碎一般。大声地喊叫，快，善生，快走。上面要塌了。他在乱石堆上飞速前行，整个人连滚带爬地顺着悬崖往上攀。一个年轻的当地男孩拿着长竹竿过来，让他抓住竹竿，在最后的紧要时刻，把他硬生生拉扯上去。而几乎同时，山顶上已经天动地摇，无数巨大的石块混杂着汹涌泥沙轰然而下。两边断崖上的人飞快地往回逃窜。

身后一阵阵巨响震人心魄。突如其来的猛烈泥石流跌落断崖，直扑山底波涛汹涌的雅鲁藏布江。

第五场

行走钢索

「1」

二十九岁的春天，他与荷年及两个孩子一起去欧洲度假旅行。事业蒸蒸日上，家里换别墅换名车。小生命带来的欣喜暂时抵挡了婚姻带来的困惑和不适。他是一个好父亲，对幼小的孩子小心照顾，温柔呵护。带着妻儿，在机场里等候转机。午后两点，春日暖阳，靠在椅子背上昏昏欲睡，孩子的嬉戏和周围人声的喧哗，汇聚成一股跌宕的河流，轻轻冲撞着他的身体。无可置疑。一切都在朝着世俗安乐满足的目标前进。但是这一切就如同他闻到的幼童身上的牛奶气息和荷年的古驰香水味道，轻浮无力，并不让他觉得真实。

经过巴黎。想着可与她见一面，他便写了封电邮给她。告诉她自己抵达的日期和入住的酒店。这个城市就如同她曾在信里寄给他的摄影照片，在灰紫色晨雾中像一艘起航的船，河流，古老的建筑。沉闷而优雅。他知道这不是她的归宿，只是她的栖息地。候鸟为了奔赴一个已被约定的归期，有些要飞行一万公里，越过高山、冰川、沙漠、海洋。他在纪录片中见到些洁白的鸟儿在风中用力振动着翅膀前行，一往无前。生命的轨迹早被设定。

荷年一到巴黎，就跑到圣奥诺雷街的各家名店扫货。她在巴黎有许多朋友和同学，短暂停留的三五天，联络聚会，忙得热闹，经常深夜跳完舞喝完酒才由人开车送回酒店。他带着两个幼小孩子出入博物馆，又去了莎士比亚书店。孩子们一直都很活泼，父子三人，玩得非常尽兴。

阳光温暖炽热，地中海气候十分宜人。他脱掉西装，换了粗布裤子和白色棉衬衣，突然仿佛又回到少年时候的春天。浑身毛孔轻轻舒展，一颗心在暖风中荡漾。走得累了，便在街边露天座替孩子们叫冰激凌和三明治，自己则要一杯咖啡，坐着晒太阳。

黄昏时回到Ritz酒店，牵着两个孩子走过大堂，突然听到背后有欢快叫声，善生，善生。清朗声音夹杂着脆脆的笑声，这样熟悉。他转过身，看到大堂来往人群中站立着笑嘻嘻的女子，穿印度薄绸灯笼裤，刺绣上衣。头发很长，人显得黑瘦，眼睛依旧明亮。是已经四年未见的内河。

她说，我一直在这里等你。想着你会回来。看到粉雕玉琢般的一对小人，她惊叫一声，蹲下来热烈地拥抱和亲吻他们，欣喜得难以自控。她是真心喜爱任何小小的生命。

她开一辆小小的保时捷汽车，说，这是我买的二手车，很便宜。来，我载你们去吃饭。孩子们坐在后座，他与她并排。曾经他们在北京相见争吵，不欢而散。现在见面，一切隔膜和芥蒂消失无踪迹，她依旧是离他的心最近的一个人。如此默默欢喜，却不知道与她说什么才好。两个人一时无话。她在车子里放印度节拍的电子音乐，一边抽烟一边开车。巴黎的街道空旷宽阔，路边高大的栗子树青翠浓郁，散发出清香。

她带他去拉丁区。石板地的窄小迂回的小巷子依旧熙攘拥挤。人群来回穿梭，空气中游荡着热烈芳香的皮肤气味。一家接一家小店密密麻麻，餐馆露天桌子边坐满顾客。找了座位坐下，她点了海鲜、大蒜面包和香槟。给孩子们要了沙拉和比萨饼。

很快端上来一大碗紫黑色外壳的贝壳，肉是嫩黄色的。

他见到觉得亲近，说，这不是我们家乡的淡菜吗。她说，是啊。没有想到在一万公里之外的地方，也能吃到。我们做的方式，就是用滚水一焯，放上盐、生姜、一些黄酒，吃起来没有腥气。法国人没有我们做的好吃。她给两个孩子剥贝壳。然后从随身带着的布包里，拿出一只小型数码相机，对着贝壳上的纹路和还未被撕掉软肉的贝壳按动快门。

他注意到她一直带着相机，不太拍东西。可一旦拿出来，对准的通常是一些不为人注意的细节。她整个人经常是慵懒散淡的，注意力并不集中，但眼睛却像不动声色的雷达系统，每一分每一秒都在保持敏感和警觉。

他说，你现在喜欢摄影了。

她说，是。我出过一本摄影画册。物体在光线之下的变化。它们的质地、色调和形状。出版社一开始以为销量会很少，因为是物化的细节的主题，很小众的概念。后来却卖掉了八万册。有人在报纸上批评我，说我做的是商业的东西……没什么可解释的。我只是做些自己有兴趣的事情，现在偶尔给杂志拍一些照片。

她把相机收起来放回到包里，说，我真正用以谋生的工作，是做布艺设计。设计各种碎花或组合花纹的布料。我很保守，不喜欢新科技材料，只用中国桑蚕丝和印度麻。那些布料被用于制作时装和家居布艺装饰。我与一个设计师合作，在Marais区有店铺，因为里面包含创造性的技术含量和审美价值，所以定价很高。虽然顾客买回去可能只是做一只小小的沙发靠垫。

一直在家里工作?

是。订单都从传真机传过来。职业其实非常寂寞。但时间久了，人便也慢慢习惯。完成订单之后，出去旅行收集花朵和颜色的素材，依旧经常去印度、尼泊尔、老挝、锡金一带。我没有受过美院的专业训练。他们认为我对花朵的理解是一种天性。

你身上穿的上衣，用的是自己设计的布料?

是的。她伸出手臂，让他看那块花布。孔雀蓝的底子，上面有描着银边的小鹿、莲花、猎人，反复细密地联结，各种色调搭配得极为艳丽沉郁。这的确是一种发自天性的美。不能被模仿和说明。

他默默地抚摸了一下她衣袖下细瘦的手臂，表达他内心的赞赏。还是忍不住要习惯性地教训她，说，你总是做事情跳来跳去，没有长性。若专注一样，也许已经能够打下基础有所成就。

不。不。善生。我不需要成就。我们以前就谈论过这个问题，你用来填补自己的是理性和意志，而我需要感情和生命的真实性。我对生活的要求简单，只需要保全自由，来去自如。直到现在，还一直住着别人的房子，睡别人睡过的床。但那又如何。我们本来不过也就是来此过路。什么都不会带走。

他终于还是提出询问，你和伊夫还好吗？

我们已经离婚了。不过是两三个月的事情。离开伊夫之后，我另租了一个公寓。发现自己不爱他。不爱一个人的时候，他就像一面镜子，让你知道你同时没有在爱自己。时间一长，就心有不甘。她再次点燃一根烟，说，这婚姻太草率，我与他只是做了个公证。没有婚礼。没有戒指和婚纱。甚至未与他回过家看望父母。我们认识一个星期就同居。他是第一个答应我求婚的男子。我们都觉得这似乎还不是婚姻。最起码应该像你这样，生儿育女，不知不觉，趋向天荒地老……孩子围绕膝前，老去会不那么容易令人惦记。

我因对方的要求结婚，所以没有太多要求。婚姻不过是彼此相伴，吃饭睡觉。不要有太多个人幻觉填补其中。它也许能改变人的生活，但并不能够改变我们的心灵。它不过是另一种生活的形式……你依旧在犯同样的错误。内河。他不是你的工具。你从来都未曾懂得与一个男人相爱的道理。你没有学会如何与人相处。

你爱荷午吗，善生。

他说，我已经说过，不要有太多个人幻觉。婚姻不需要这些。

我自知我的情商很低，和我在一起的男人，到最后总是会被伤害。他们控制不住我，无法猜度我，我始终让他们感觉不安全，仿佛一起共守的，是一团薪柴有限的火焰，你要眼看着它们逐渐熄灭灰冷。不能说我没有爱过他们，我曾经热烈地真实地爱过他们每一个人，只是不长久。我没有信任过任何感情的长久。我也没有你的理性和意志所在。善生。我们是不同的。

不打算离开这里吗?

除非有另一个强大的理由。我喜欢在陌生之地生活，隐藏所有历史和过往。不需要说明，不需要戒备。举目无亲的感觉。她微笑，熄灭手中的香烟，说，最近有一本地理杂志与我谈合作。他们想去西藏做一个专辑，需要摄影师，我是他们的合适人选。也许不久将去雅鲁藏布大峡谷。

巷子里的黄昏即将被夜色代替。他们说着一些琐碎话题，家长里短，停停歇歇。孩子们困倦而睡，要把他们抱回酒店。她与他一人一个抱着孩子，慢慢走出巷道。车子开到Ritz门口，服务生过来帮忙抱孩子。她坐在车里，把脸贴在驾驶盘上，看着他们。

他站在门口等了她一分钟。两个人都没有采取离开的姿势。然后她微微一笑，主动发声。善生，荷年应该回来了，可以照顾孩子。放下孩子之后，去我住的地方小坐。我们的话还未了。不知道以后又会何时见到。

「2」

河边的白色老楼。她的房子在顶层，是一个小小的阁楼。房东留下旧的法式铸铁大床，一张镶着银丝线的柚木沙发椅子。放了一张矮木桌在阳台前，可坐在地上看书及写作。扭开枝形水晶小吊灯，地面是破损的绿色陶砖，凌乱地堆着摄影器材、画册、笔记本电脑、书籍、丝绸裙子和绣花鞋。墙纸已发白和干燥。一整排空的香槟酒瓶堆在窗口边。小露台有黑色栏杆，站在楼顶便可以眺望大河和远处的建筑。关上门和窗之后，房间里幽暗清凉。旁边一个小房间是暗房。

她说，你休息一下。我去厨房做些饮料。她光着脚下楼。他看到墙壁上贴着一些照片。采取相同的焦距和角度设定，不同人脸，有一种固定表情，各自微微怅惘地看着镜头。在抽烟的妓女，坐在公园椅子上的老妇，婴儿车上的孩子，浴室里的男子……似乎是一种被统一和强化的生命哲学模式。那些照片因此充满直接而无遮挡的力量。

有一张是她自拍的照片。湿湿的头发，穿着男人的衬衣，坐在墙角的阴影里，手指夹着一根香烟。那时她应正在恋爱。他觉得她有变化，也许是因为长期旅行和工作的缘故，动作敏捷，骨骼里有力量支撑。像植物的根茎里有了饱满的汁液，花草枝叶都显得泼辣青翠。她显得充沛而坚韧。

她做了大吉岭的热红茶上来。与他一起走到露台上，一边喝茶，一边看着夜色和灯光之中的河流。

她说，转眼我们已经变老了，不过是数年的时间。不知不觉。仿佛三十岁之前，已经过尽了一生。

他说，一生很长。还远远没有过去。

她微笑，是吗。我却觉得自己似已要从中年进入晚年一般。

那是你的早慧。内河。你所感受到的东西比你身边的人永远都是更早也更多。

但是你内心的愤怒和空缺还是那么多吗？

是。我看到生命充满限制，而人必须像灰尘一样地生活着……有时候我厌倦生活。生活不过是一个玻璃盒子里分割好的小块空间。栖居在这被限制的范围中。生老病死。

他说，你可以笑我的平庸自足。内河。我的生活不过是工作、结婚、生儿育女……和所有人一样。我们做着各种各样的事情，有各种各样的生活方式。你觉得一片树林里树的不同形态有什么标准吗？如果在本质上，它们都只是一棵在经历四季死而复生的树。但其实还是会有所不同。比如这决定它们会以什么样的方式经历四季死而复生。我只知道个人很难改变处境。权力才能改变一切。

不。善生。人的野心才是一种幻觉。我对支配人世的权力没有兴趣。我是一个走钢索的人，路途与别人不同。他们可以走平地，我却喜欢危险的高处。站在那根钢索上眺望远方，手里捏着一根平衡杆，进进退退，保持平衡，在悬空的钢索上摸索前行。跌下去会死。走过去是虚无。命中注定要漂泊一生，一直徘徊在世间的边缘。但这是我的支撑所在。

他不知道自己是何时睡去的。睁开眼睛的时候，看到房间里一片黑暗，他的外套和袜子都未脱。身边的女子，依旧和少年时一样，与他一起躺在床上，各自侧身而睡。她的满头浓密发丝枕在他的脸下，散发淡淡幼兽般的气息。她的身体仍是他记忆中的瘦而清绝的轮廓。

他转过头看着她在睡眠之中，发出均匀的呼吸。他觉得时间停滞。内心惘然。某些时刻一再重复。眼前场景，却总是物是人非。

她带来的这个瞬间，仿佛所有的人生都还未曾展开。他们站在时间的起初，是两颗安静的棋子。而他该起身离去。她已不是深夜偷偷在他房间里留宿的十三岁少女。他在沸腾的红尘热浪里翻滚，为人夫，为人父，也不再是彼时心有落寞的孤僻少年。她是他的镜子，让他看到自己，看到自己与这个世界之间的关系。他的妥协和忍耐已经太久。他要再次离开这个林中少女。

她在他的注视中醒来，说，你是要走了吗？

已经凌晨两点。荷年会着急等我回去。他蹲下身系好皮鞋带子。站起来，看到她站在一边。她似乎忐忑不安，小心翼翼地说，能抱一抱我吗，善生。

是。他再也没有拥抱过她。他一直以她为耻，就像他始终为自己身上的创伤所耻。但是她在尽力地蜕变，需要他的认同。他走近她，看着她黑暗中的眼睛闪闪发亮。那里会有清凉的珠泪滴垂下来吗?他困惑地慢慢伸出自己的右手，摊开手心，想去接住它们。她轻声笑着，抓住他的手，说，我没有哭。每次你都以为我在哭。其实是我的眼睛比较亮而已。

他低下头，我觉得疲累，内河。我梦见再次回到岛上，看到你背后的树林黑影，在风中摇晃，发出响声。像一座酣睡之中的古老城堡。梅花鹿高贵的犄角在羊齿植物的草丛中掠过，薄薄青苔上萤火的闪耀，老虎和狐狸的气味在热气蒸腾，鱼在河水中发出低声歌吟，陌生人在黑暗中徘徊……整个世间似乎只有我们两个。我如此恐惧，只能紧跟着你在黑暗中前行。我们躺在河边的灌木草丛里等待天明。萤火飞舞，长夜漫漫。

她说，你还记得我们次日早晨醒来看到的景象吗?

记得。他看着她，轻声说，现在我才知道，我们的内心里都有一个孤僻的幼童。这个小小的孩子，在那日早晨醒来的时候停止了生长，只是在清醒地衰老。只不过你的清醒是一直在坚持。而我的清醒是一直在放弃。

「3」

一个共同生活六年的女子。与她生儿育女，同床共枕，时间越久越觉得她陌生。有时候她从外面回来，太过疲倦，衣服未脱躺在床上，他走过去，帮她脱掉衣服鞋子，盖上被子。看到她残妆的脸，臃肿平淡。卸落精致昂贵的外套，这个女子似就只剩下一具与他毫无关联的躯壳。他是一个无情而消极的人。因此反而在形式感上始终忠贞如一。

他决定与荷年结婚的时候，已明确丈量过她的价值，以此推断出他们的资源互换彼此双赢，婚姻坚定稳固，将掌控更多的社会财富。她的家庭背景、资历和学识，使他轻易进入社会阶层的金字塔尖。最大限度地开拓自己的事业范围，实现想到的任何可行性想法。不会有再多困难的事情。资源和权力并进，掌控在手中。他们为彼此付出代价。

六年时间，足够一个成年男子逐渐感受到体力与精神一点一点地衰退。完全不能自控。仿佛有一双手轻轻抽掉他身体里紧绷着的线。持续地轻盈地，一根一根地抽掉。他对妻儿悉心照料，从无偏颇亏待。但这就是他的时间。被大口大口地吞噬掉，不曾留下任何回声。他从一个年轻男子进入中年，看着自己的肉体和精神开始苍老疲惫。

那年冬天的圣诞节。他们携带一对孩子，参加一个高层精英的圣诞派对，应酬之后，疲倦地回家。他先在车库里把奔驰车倒出来，打开车门，看着她一手牵一个孩子走过来。突然之间觉得自己不认识他们。这个衣着雍容华贵的妇人和一对活泼的子女，仿佛是上天设定给他的海市蜃楼，注定会在某个瞬间收回繁华昌盛，留下一片空茫。他没有来得及收回眼神。荷年心思敏锐，见到他的神态当下顿住，直直地盯着他的眼睛，惊诧而剧痛。一路默默无言地开车回家。孩子们笑笑闹闹，半途睡了下来。

深夜，他从浴室洗澡出来。她并未如往常一样卸妆梳洗，早早上床。而是衣着完整地坐在床边，神情镇定。她说，善生，不如我们离婚。她的声音非常有力。

他看着她。这句话，他似乎已经等待了很久，丝毫没有意外。他是这样的男子，从小习惯被女性包围：童年被母亲守护，上学时被女同学女老师眷顾，工作后又受女同事爱慕。在感情生活中，貌似被动，实质却一直控制局面。他使女子为之心折。需要别人的讨好，自己却绝无迎合。他冷淡的内心，使身边倾心的人不安。

她继续说下去，上海的公司独立操作，发展顺遂，并且成功扩张。孩子们已经六岁。我们却像一对早已失去了目的的旅客，一路停停走走，拖拖拉拉，只为忍耐和妥协，维持这早已失去了价值观的联盟。我一直等待你能够爱上我。我甚至为此早早生下一对孩子，以为我们可以就此坚不可摧。现在知道一切无济于事。

……

我存在于你的生命之外，一直与你毫无关联。早应该心灰意冷。不如我们好聚好散。我带一对孩子去美国生活。

他轻声说，孩子们不会愿意离开我。

但这不意味着他们可以一直接受一对没有爱情的父母。他们以后会长大，会明白这些悲剧。比如他们的父亲是为了获取利益而与他们的母亲结婚。她沉痛地大声说话。

他说，我尊重我们的婚姻。请你也保持这个态度。我从一开始并未想要用婚姻来交换你与你父亲的股份。我只是想结婚。遇见了你，觉得我们彼此合适。如此而已。

但是你却不爱我。

他冷静地看着她的眼睛，说，你早该知道。荷年。

是。我自知所得并非你的全部，甚至连十分之一的空间都未占足。如果你的心是一片海洋，那么我站在岸上甚至都未曾学会识水。我承认我的失败。她吸一口气，说，你只是用我做了工具，用来对抗你对生活的虚无。满足你实际的欲望。你是个矛盾百出的男人。纪善生。假如我们离婚，我与父亲要抽掉企业中百分之六十的股份。这是你应该付出的代价。

他的语气依旧冷静。我任何条件都可答应你，荷年。但请不要侮辱我的人格，因为这样会侮辱你自己的智力。

手续办得非常快捷。这是他们彼此的职业习惯，做了决定，干脆解决。她把两个孩子全部带走，决定在美国开始新企业的运作。之前一直想移民到美国，只是因为他不愿意离开而迟迟未办理。最终还是一走万里。

她答应他可以定期看望两个孩子，但因为路途遥远，彼此都明白以后见面的机会不多。孩子们蒙昧无知，以为只是和他暂时告别。他在机场送别他们。她说，善生，我最终还是识别了你。如果继续保持糊涂，保持幻想，也许还能够留住你。但是我累了。爱一个不爱自己的人，会让自己慢慢崩塌。太不自爱，因此鄙视自己。她克制住任何感伤的表示，不掉落一滴眼泪。

她依旧是出身高贵有良好教养的女子。所有曾经有过的热望以及幻觉，因为岁月疲长而失去了声响。她只是要离开。留下他独自一人。

他知道自己会迅速遗忘婚姻。曾经在一起生活过的女人，在他的心里不能留下深刻的印记。深刻的都是岁月的印记。让他看到自己的来时路错落颠沛，不过是迂回的过程。而两个孩子，一开始就注定不会归属他。荷年把他们当做两根线，联系着他们彼此之间的肉体和感情，以此实现她对他的控制。当她彻底对他失去寄望，她便收拢了这两条线。

这两条线是从她身体内部延伸而出，又回归她的身体之内。似乎这些孩子并不来自他体内的组织细胞。似乎在这六年里，他所花费的大量时间精力，对他们的照顾和抚养，只是投入水中的粮食：给他们换尿布、洗澡、喂奶粉，稍大一些又要教他们学走路、说话、识字，带去游乐场和餐厅……

转眼之间，撤掉一切束缚和责任。妻子和孩子四处失散。彼此远走高飞。他没有任何劝阻，因他早已经疲惫。他想再次成为自己，成为内心深处那个骄傲落寞的少年，对世间冷淡无视。似进入早已经灭亡湮没的古老宫殿，与幽魂女子交欢生育。惊醒那日，发现一切不过是断壁残垣、行尸走肉。胆战心惊之外，只有怅然和迷惘。不过是半路走了歧途。

他收拾残局，卖掉手里所剩下的股份，正式从商界抽身而退。荣耀富贵，短暂的黄粱一梦。他看到自己的生活，如同掉出了烟缸的一截烟灰，根本容不得审视触摸，轻轻一捏就粉碎，灰末无可收拾。是这样貌似完好的不堪一击。上海的房子，留给了他。他手头尚保留下一笔丰厚的存款，足够衣食无忧维持很长时间。想彻底地休息，于是决定回去老家。

「4」

她在山体再次崩塌之后，和还没有过去的几个背夫在原地等待了三个小时。他们最终决定还是要尝试穿越那个塌方。没有任何退路。除了前行。与他汇合，奔赴墨脱。这是唯一的选择。如果回头，路途一样长而艰难。要再重新攀爬一遍多雄拉。是的。这是没有意义的。她在崖边停顿了一下，重新扎紧绑腿，以防止它半途散落绊脚。然后她用背部小心控制身体，滑下断裂口。开始穿越塌方。

刚刚泥石流轰然而下的声音，似还在山谷里隐隐震动。让人心里悚然的气息在这个大塌方里徘徊。但她的脚步不能打软。行走在陡坡上，随时都可能滑坠下去。经过从山顶上流泻下来的冰冷河流，她跳跃着走过那些大岩石堆。然后用手攀住悬崖上凸显出来的小石块，往上面攀爬。继续前往墨脱的路，就在上面。

躲过这场劫难，让他们内心欣喜但并不值得过早庆贺。她在快行中丢失了手腕上的镯子。并且真正艰难的路途才刚刚开始。大小塌方开始陆续不断地出现。在后来她计算着一天经过大大小小的塌方和滑坡就有六十多处。最大的塌方区持续了一公里左右的范围，泥石流堆积宽度达到三百米。坡面陡峻，石块直落峡谷下奔腾咆哮的急流中。

所谓的路，不过是背夫踩出来的难以辨认的脚印。人只能一个一个在宽度仅十多厘米的泥石流路径上挨次通过。走过滑坡的时候，若脚步不稳，会由陡峻的山崖滚落到山下江河之中，尸骨无存。山体也许还会随时有崩塌，飞石从山顶轰然滚落。但是，一旦走久了，人便会习惯。没有恐惧。是的。因为恐惧没有任何用处。路就在前面。需要走过去。不可能停下来。也不可能往回走。恐惧不能解决任何问题。

雨水烂泥混杂的路途，滑溜难行。密林中，蚂蟥依旧繁殖旺盛。他们需要不时停下来为对方扯掉钻入脖子或手背皮肤上的蚂蟥。走的路在持续下坡。地势在下降。一个小时之后，他们抵达老虎崖。一段从山脊直通向崖底大江的绝壁。小路蜿蜒逶迤。视野产生新的变化，但见山谷之中层峦叠嶂，云雾缭绕。江水轰鸣，在悬崖下面围绕着山体迂回奔腾。整段峡谷，恍若从未被别人打扰的人间仙境。万物按照各自的轨迹生长运转。寡言，肃穆。

头顶上的岩石滴下大片雨水。悬崖小路的沿途，在头顶岩石缝隙之间挂着很多布幔，上面是祈祷平安的经文，画着佛像。一路挂过去。想来是当地人走过的时候留下的。她忍受着极度疲惫和寒冷，在雨水中拿出相机，拍下这段路途以及那些被雨水淋湿的经文。她有预感她的一生只能看到一次这样的景象。

中午抵达阿尼桥。桥边有一个极其破烂的木头棚，两个门巴妇女提供热水和柴火，让过路的背夫休憩。他们停下来稍作歇息。无法脱掉脚上裹满烂泥的胶鞋。只能站着喝一口水。人一靠近火焰，大大小小的蚂蟥就从衣服、绑腿、鞋子里面钻出来，扭动着被炙烤的身体仓皇挣扎。背包和雨衣上落满了蚂蟥。她的脖子鲜血淋漓，只能用湿围巾把伤口紧紧包裹起来。这条粉白色棉麻印度围巾，是她在拉萨购买的，一路上都在发挥实用功能，御寒、裹伤、绑扎物品。唯独不需要美化功能。她很长时间没有洗澡，不涂抹任何化妆品，头发被雨水淋得湿透，贴在额头上。穿着胶鞋和格子棉衬衣，与男子没有任何不同。早已失去了性别。

没有歇息太长时间。也许一鼓作气再走四五个小时，就可抵达背崩。这样明天他们就可以从背崩抵达墨脱。在再次经过一个塌方区的时候，他们没有躲避掉突然爆发的泥石流。山顶突然发出轰隆隆的轰鸣声，脚下沙石滑动。两个人飞快地往前跑，身后巨大的石头夹杂着泥石流已经铺天盖地呼啸而来。被连根推倒的树和巨大石块砸进汹涌江水中。此时，任何奔跑闪躲都很危险，两个人只得就地蹲下来，隐藏在正经过的巨石旁边，用手紧紧地抠住石崖凸起，等待崩塌结束。这地动山摇的一切就在后面仅几十米处发生，若晚走了几步，肯定尸骨无存。大约几分钟后，山谷依旧回响着这惊天动地的崩塌声响。山顶终于恢复了平静。

再回到山路上。他看到她脸色有些发白，他说，有没有受伤，庆昭。

她说，刚才左脚踝被一块掉下来的碎石头砸中。有些疼。

解下绑腿来看看。

不要了。太麻烦。烂泥早就把鞋子袜子糊在一起。继续赶路吧。

她走路的姿态已经没有前几天稳健。走了一段，开始一瘸一拐。她在路边捡了两根树枝捏在手里当拐杖，左脚的胶鞋开始撑得发胀。她屏着气一直跟随着他赶路。

路上风景又是一番新气象。山的海拔高度每超过一千米，就有景观上的绮丽变化。此时出现的是亚热带气候的植被，大片芭蕉林、阔叶林。小野花点缀在茂盛草丛之中。远远地，看到对面山腰上有一些白色的小房子，点缀在苍茫山峦之间，显出世外桃源的清幽秀丽。她看着这个密集的村落，轻声说，远处应该就是背崩了。高山之上的灰蓝色天空，时而冒出灼热的太阳，时而又有雨点落下。此时阳光已经消失，又开始落下豆大的雨点。

「5」

母亲来机场迎接他。他穿着白衬衣、粗布裤子和球鞋，提一只箱子出现在出口处。看到母亲，放下箱子，轻轻与之拥抱。母亲那年五十五岁，退休在家，开始用蝇头小楷抄写《楞严经》，心平气和，眼目洞明，年轻时的固执剧烈也已经消退。看到这个从小由自己带大的男子，发现他的心性竟从未更改。花花世界游荡一圈回来，却仿佛只是从晚春落花树荫间穿梭而过，拍拍衣襟，没有一丝动容。她暗自叹了一口气，也无询问。

他心里并无任何愧疚，只觉得深深疲倦，仿佛整个人刚由溺落的海水中被捞起，惊魂未定，心力交瘁。回到旧日家里，依旧睡在少年时候的小房间里，硬木板单人床，没有任何改变。接连数天，只是在床上裹起被子蒙头大睡。有时候睡上整整一天。不出门，吃很少的食物。也不找人聊天。母亲并不打扰他。只记得他少年时若遭受任何挫折，都是一个人默默地接受，用长时间的睡觉来躲避压力。

漫无天日的睡眠之中，第一次梦见了父亲。在凌晨四五点钟的南方巷子里，跟随前方的一个男子。那身形高大的背影在浓重雾霭里渐行渐远，只听到脚步声噔噔，震动蜿蜒狭窄的小巷石板路。他一边迅疾地加大步子想追赶上男子，一边在心里轻轻地说，爸爸，等等我，让我跟上你。却怎么走也走不近。只有两旁的玉兰树，大朵钝重的白花，受惊坠落，扑扑打在树下的泥地里。

他从未被父亲带领着一起去游泳、钓鱼、运动、看电影，诸如此类，无法获得一个男子该如何刚烈起伏生长的经验。很多事情都自成年之后才摸索学习。他的成长，注定缺席另一个男子的印证和承认。而他早已不记得那个男子的五官。完全想不起来。没有掉过一滴眼泪。甚或从来没有在梦里再见到过这个男子。

他从未思念过这个男子。他是他内心一块塌下去的阴影，没有填补，没有痊愈。他只是看到他再次出现，依旧在距离之外。他也从无有过怨怼，早已认同生命的缺陷所在。而此刻在梦中，内心依旧怅惘。没有人指导和认同他的生活。他知道必须自控，一如从前，由自己带领自己。

老房子住了多年，已经太过陈旧。他说服母亲，用结束公司之后剩余的存款在月湖边置下一处面积宽敞的房子。搬离了居住多年的旧居。依旧是一楼的房子，带着小花园，可以让母亲在花园里种植花、蔬菜和果树。打开窗可看到整片树丛围绕的恬静湖面，秋日艳阳高照，岸边的桂花树开始结出密密麻麻的细小花朵，隐藏在油亮的绿叶之下。空气中终日飘浮着沉醉的香气。

十八岁带着固执的离弃之心北去求学，曾暗自发誓不再回到故地，壮阔雄心期望路途一去不复返。却不想毕业、结婚、创业、离职、离婚，一大圈兜转变故之后，还是回来休憩隐居。之前的生活，完全忽略这些细微的闲情逸致。能够重新拥有这种生活方式，恍若时间倒流，格外珍惜。

湖边的老式宅院都还保留着原样。逼仄的街边小店有蟹壳黄小烧饼刚刚烤好，热烫地裹在纸片中，一块硬币一个。肚子里踏实暖和，心里似没有丝毫牵挂亏欠。有时去湖边垂钓。周三去周巷的古玩市场走走逛逛，收集一些古旧家具和瓷器。重新开始阅读《史记》和《论语》。陪母亲去菜场买菜，与她一起坐在板凳上剥毛豆，看天边落霞渐渐消退。一起侍弄小花园里新栽的茉莉和栀子。

他的母亲一生都喜欢芳香凛冽的白花。花园里栽了玉兰，光秃秃的枝椏上，一夜之间绽放大朵白色而孤立的花。厚实花瓣在阳光下，可见到如同绢纱薄翼般丝丝缕缕的经络。芳香扑鼻。如果在夜色中远望，就像悬挂在月光中的白纸灯笼。他的母亲不以花为骄矜，经常在旺盛花期，信手折下大枝鲜花送给邻居。只愿以平常心相待。

他收到她从拉萨寄过来的信件。她已经随着杂志制作小组进入大峡谷。

善生：

……

通往墨脱的道路，有重重的陡峭高山阻隔，围绕四周的峡谷和汹涌河流。若要抵达，必须通过长满树木的崎岖山路，穿越这一切屏障。它平均海拔只有一千多米，属雅鲁藏布江下游山川河谷地带。多雄拉山口和嘎隆拉雪山却超过四千米，北边还有南迦巴瓦峰。这些地貌特征如同天然的保护网，保全它的神秘和幽静。

从山里下来，越走海拔越低。植物从亚高山寒温带的白雪冷杉、山地温带的针叶林、山地亚热带的常绿和落阔叶林，一直转换到亚热带气候的热带原始森林。一路看过四季景观。

溜索是穿越湍急河流最好的工具。整个人顺着粗大的绳索滑行，河流的巨大响声和蒸腾水汽，企图给人震慑，仿佛死亡的火焰在身下燃烧，所以不能低头看它。在攀爬悬崖峭壁的时候，必须使身体屈服下来，以便保持柔软和平衡，使手和腿的关节迎合岩石的自然轮廓，自然地向上。在做着这一切的时候，都必须清除内心所有烦杂多余的意识。在行动的过程中，哪怕是一丝丝畏惧和犹豫的侵扰，都会使身体失去控制和平衡。而一旦手脚发软、脑子混乱，势必就会坠落或摔跌下来。如果这样，会失去一切机会。悬崖和江水会无情地使人丧命。

所以在行动之中，必须将自己的身体搁置在死亡之上，与它擦身而过。保持内心的寂静状态和全神贯注。人抵达某种修行的实质。你能听到时间在耳边嚓嚓飞速掠过的声音。天地向你敞开，彼此对立的力量之间，产生相互作用和影响。它烘托你的生命力，善与恶的强烈对比，哪怕是对你需索着死亡。人的内心无限自由和开放，因为可以与天地融合在一起，哪怕是死去，尸骨也投向自然的怀抱，而不是人间。

峡谷地区地质构造复杂，板块运动强烈，造成山壁耸立、频繁的地震和雪崩。一路状况如同九死一生。在树林中露营，常会被不远处轰轰隆隆的巨大声音震醒。那是峡谷在深夜时发生的山崩、滑坡和泥石流。回声在峡谷中久久回荡，令人心惊。大雾弥漫，树叶上融化的水滴，一整夜敲打着帐篷顶，发出吧嗒吧嗒的声音。空气潮湿，地上是常年被雨水浸泡和腐烂的植物。因为行路疲惫，睡眠酣畅。

一路可见大大小小的瀑布。力道惊人的水柱冲击而下，在黑色岩石上砸出白茫茫的雾。强大冷风袭人。在远处凝望，它们如同是悬挂在绿色山峦中一道一道银白色绸带。秀丽静止。并不带有震慑力。经常需要穿越这样的瀑布，浑身被浇得湿透。速度稍慢，就会被水力冲击得窒息。

清晨，无数的飞鸟在树林中鸣叫。太阳光芒穿透雾气和林荫，疏朗温暖地倾洒下来。那一束一束明亮光线，仿佛并不真实。五千米以上的雪山，因为太阳的光线，在每天不同时辰发生微妙的变化。有时候是银白色，有时候是蓝紫色，有时候是金黄色，有时候是暗红色。来自印度洋和孟加拉湾的云团，那些海洋水汽凝结的白云，长年飘浮在白雪皑皑的山顶。仿佛是孤寂高山唯一的伴侣。山顶上的雪融化成水再流回平原。就是这样一种轮回。

峡谷间有开满鲜花的杜鹃树。这种峡谷中最为浓密和常见的巨大植株，它们繁花似锦，铺满山峦，开遍由云杉、冷杉、铁杉组成的森林。我们在云雾弥漫的树林中行走，路下的积雪未融。随处可见树下盛放的杜鹃花和兰花。数百种百合绽放洁白的硕大花朵，沿着河两岸生长。

从十八世纪开始，门巴人从门隅一带东迁，千里迢迢，历尽艰险，来到墨脱。他们抱着对梦中乐土的向往，饱含激情，来到这与世隔绝的地方。这里没有梦想，但是有肥沃广袤的土地。幽深隔绝，又可以远离剥削和苦难。人的力量远不如自然的威严与强大。而自然是公正的。坚持行进就可抵达安乐土地，辛勤耕耘就能丰衣足食。他们敬畏山神，崇拜生殖力。繁衍生息，如此才在这个峡谷里代代相传，生活下来。

在深夜眺望远处的小村，灯火明灭。天空中无以计数的群星闪耀，排列成壮丽的行列。月光下奔腾的雪溪，闪烁出变幻莫测的银白光芒，与流转的星光对映。陡峭险峻的南迦巴瓦峰海拔7756米，终年积雪，云雾缭绕，不轻易露出真面目。它在藏语中的意思，是雷电如火燃烧。它还未被人类攀登。是刚烈而神秘的山峰。在这里，自然非常有尊严。

大自然使我明白对一切都不需要执著太深，因为世间万物都有它独自轮回的系统，也许是由一种人类无法猜度的力量控制。它提示着一种被运行和走过的准则。远超于我们的想象之上。不被窥探，也不可征服。我想人的谦卑，首先要来自内心的敬畏。

……

她正在颠沛于壮丽的路途上，接近新的生活并建立新的信仰。而他结束了自己的生活段落，兜转一圈，一无所获。上海的猎头公司一直有电话来找，依旧是营运总监之上的位置。他在行业内的名气和影响，并不随他的闭门打烊而消失。沸腾的商业世界还是为他预留着位置。他一概推托，并不急于做出选择。

他在故乡隐居，重新面对这个小城市的淡泊和烟火气息。愿意出门之后，与旧日同学渐渐恢复联系。他们也大都结婚生子。虽共同语言所剩无几，但在一起喝酒叙旧，或搓一搓麻将，只觉得日子过得静而飞快。

就这样过了将近一年。那年他刚好三十一岁。

「6」

一群皮肤黝黑的孩子，背着书包，光着脚丫，远远地站在大桥的那一端，好奇而热忱地注视着他们，对他们欢呼。这是曾经被冲垮后重建的解放大桥。巨大的铁索桥横跨在雅鲁藏布江上，江水翻腾着白浪，汹涌奔流。过桥之后，孩子们簇拥过来，引领着这对浑身裹满烂泥的疲惫不堪的旅人，一直陪伴他们进入村口。他们太少见到来自外面世界的人。一路欢歌笑语，完全不顾及大雨还在倾盆而下。

他们找到最近的一家四川人开的旅馆，决定住下。又饿又冷，已经完全走不动路。这里有兵营驻扎。士兵过来做了身份登记。他把她带到灰暗潮湿的小厨房，先让她解下绑腿，脱掉鞋子。她的左脚胀大一圈，脚踝上大块皮被磨掉，露出鲜红的肌肉。创口因被污泥脏水长时间浸泡，已经溃烂有脓液，红肿变形。她拖着这样一只伤势不轻的脚，与他一起走了一下午的山路。且一直都在持续地上坡和下坡。

她脱下雨衣雨裤，从上面迅速地抓下来几只正在蠕动的蚂蟥，转过背，对他说，撩起衬衣，看看背上是否还有，一直觉得痛痒难忍。他把她的衬衣下端捋到肩上，看到裸露出来的背脊遍布黑而坚硬的吸血创口，密密麻麻。左后腰的位置，一条黄黑色蚂蟥吸得脑满肠肥，依旧贪恋不舍地扎在皮肤里面。他把它揪了下来，扔进火堆里，说，用热水擦一下身体。然后好好休息。他拿起墙角一只发黑的旧脸盆，倒上满满一大盆热水。

她换好干燥的内衣、衬衣、长裤，给脚套上棉袜，一瘸一拐上楼去休息。走楼梯的时候已经很困难，整只左脚用不上力。位于二楼的房间，光线充足，被褥洁净，比拉格、汗密、阿尼桥一路上的住宿条件稍好。毕竟不是路边随便一搭的木棚子，背崩是一个规模完整的村落，有居民和其他用处的房子。

她躺下来，看到床边窗口外面的大雨瓢泼而下，弥漫整片山野，哗哗的风声雨声彻耳不绝。但是因为一路上的艰辛颠沛，这个暂时的栖息地，依旧让人觉得无限欣慰。这个风景幽美、与世隔绝的小村，如果是天气晴好，该是如何的山水如画。她实在太过困倦，很快就闭上眼睛入睡。

醒过来的时候，已经天色漆黑。他坐在她对面的床上，已经替她把晚饭端了上来。米饭、辣椒炒卷心菜、腊肉以及冬瓜汤。还有一小杯白酒。他在床边静静地翻阅那本《辩证法史》。房间里阴冷。灯泡因为使用长久而光线昏暗。

她说，我刚才梦见内河。没看清她的脸长什么样子，只见到她站在一棵巨大的杜鹃花树下。树的枝干粗壮，绿叶茂密，花朵应该有上百朵，饱满丰盛，颜色是粉红和白混杂。我从未见过这样大的杜鹃花植株。

他默默地停顿了一下，说，我刚才去了兵营，问军医要了一点药品。三七片和伤痛酊。我这里还有红花油和消炎药。你都用了。这脚伤浸水之后恐怕很难愈合。如果明天伤势严重，我们就休息一两天再走。

我一会儿就吃药。明天还是继续赶路。大雨一直不停，怕耽搁了塌方更多。穿上厚袜子，再把绑腿扎紧。路走长了，脚的知觉会麻木，就不会那么疼。我想我们能够尽早与内河相会。她如果知道你明天就可抵达墨脱，不知会有多高兴。

……

在路上你有害怕过吗，善生？

我没有害怕。每天入睡之前，会感恩自己还能活着入睡，并祈祷明天能够依旧活着赶路。我曾经梦见自己在路途中死去。

她说，以前我曾经想过那些自毁的人是否该获得死的权力。获得正当的没有痛苦的死亡方式。自杀太残酷，必须要由自己来终结生命的人，在临死之前会面临极大恐惧。割脉的怕割得不够深，所以用尽全身力气几乎要把手腕切断，跳楼的尸体支离破碎脑浆迸裂，上吊需要一段缓慢而痛苦的窒息……所有想死的人在被迫自我终结时不能保全尊严。但是真正在面对死亡所带来的压力，感觉到死亡的胁迫时，人的身体会充满被激发出来的生命力，它反而使人镇静。

死其实一直跟随在每一个活着的人的左侧。明确感受到了它的存在，却可能会觉得自己变得更为轻盈。因为发现了自己的不重要。这段旅程犹如行走在生死两界的交汇处。它很奇特。也许我会健康起来。

他起身，给她倒了一杯热水，来，把药先吃了。他伸出手轻轻抚摸她的额头。她因为即将临近墨脱，并且从劫难里逃脱，情绪有些亢奋。她没有发烧，这是令人安慰的。

你会留下来陪伴她一段时间吗？

我看一看她。看完就走。

善生，你会怎么去判断你是否真正地喜欢过一个人？

如果那个人，与之分开之后，依旧喜欢他，惦念他，那么他与你的生命是血肉相关的。很多人离开我们，对我们而言，也许是从衣袖上掸落一根草茎，不过是虚妄一场。没有留下任何痕迹。相处的时候，我们大多真相不明。

从没有人评说过你们之间的感情吗？我想它已经不能用简单的男女情爱来定义。爱情只是来自人身体内部的化学反应，短暂并且随机，不能作数。你们的关系，不是脑子里分泌了多巴胺或啡吗肽的元素所能够解释的。

不。我从未想过这种问题。这对我与她来说并不重要。

她说，你们在森林的河边到底看到了什么？

他说，我们从未对任何其他人说过所见到的景象。且十三岁所见的，之后也再未发生过。仿佛无疾而终的隐喻。在同一种奇迹面前，我选择了保存记忆和后退，她选择了循迹前往。她不肯承认这是一种邂逅。她要探个究竟。

她说，你们最后一次见面是什么时候？

他说，四年之前。她决定进入墨脱之前，回过一次老家。

「7」

他去机场接她。她的飞机晚点，他多等了三个小时。她穿着白棉衫，戴一对红珊瑚的银耳环。整个人又黑又瘦，脸颊和鼻子上有发红的大片晒伤斑，并有了零星的黑色雀斑。她拎一只军用行李包，从出口处走出来。见到他，走过来拥抱他。伸过来的手臂坚实有力。

她说，太好了，善生。又见到了你。

他一时无言，拥抱着她，闻到她被晒得干燥的头发上散发出来的阳光气味。她的身上有一种特殊的味道，那是长久置身在人群之外的空间里的气味，糅合着植物兽类泥土的复杂气息。她说，我只能停留两天。拉萨那边的事情还没做完。

为什么回来？你在电话里没有告诉我原因。

舅舅带信给我，说美术老师托人来转告，他得了肺癌，是晚期。没剩下几天了。想见见我。

这不是你分内的事情。你无须也不应该回来。

但是他快死了。他想见我。

她十九岁离开家乡。经过月湖，脸上惊诧，说，这里怎么改建得这样漂亮。他说，我在湖边买了房子，现在与母亲在这边住。城市发生了变化。街道显得明朗而陌生，更广阔的路面，更高的建筑。旧日的大墙院和古老巷子大部分已拆除。苍劲茂密的桂花树、梧桐树、玉兰树被砍掉。一切都在更新。它不再是他们少年时潮湿晦涩的江南小城。她的脸上表情镇定，但他能感觉到她内心的伤感和欣喜。

他们都曾经憎恶自己的出生地，都想一走千里。而在离开之后，对它重新萌发的眷恋和热爱，却比之前任何时候更为强烈鲜明。她离开此地十多年，漂泊在不同城市，以至到了地球的另一端。走的时候，尚是个青春创伤鲜血淋漓的少女。回来的时候，已经是坚韧沉着的女子。

先陪她回家。她见了舅舅和舅母，态度恭敬和顺，与他们拥抱。在外面经历的世态炎凉，已经能够明白家人曾经付出的代价，是桀骜不驯的少年时代所无法理解和体会，内心有了感恩。与年老的家人一起闲话家常，又留下一笔钱给他们。这是唯一能够做到的回报。除此之外，在感情上，她始终是一个孤立无援的人。想爱别人，但无法寻觅到合适的通道。把自己隔离太久。习惯独自一人在异乡飘零。再怀恋这里，都不会回来。

开车前往美术老师在的肿瘤医院。车停在医院停车场，她下车的时候沉默不语。他们一起走过走廊，踏上楼梯。她的脚步略带迟疑，神情开始局促，仿佛内心有压力。野外工作和国外的生活经历，让她逐渐变成一个具备力度的成熟女子，最起码在外形上是如此。但此刻，记忆中的女孩被迫来找回她。那个薄弱偏执的幼小少女。她已失去最初的激盛勇气，因此畏惧自己。

他轻轻拍她的背，说，你与他打个招呼，即可告别。不需要为他做任何事情。你对他无亏欠。即使有，那也是为彼此付出的代价，应该各自承担。

他们向肿瘤科走去。狭长的走廊，日光灯惨白清冷，人来人往，空气浑浊。过道里放着几张钢丝简易病床，住着垂危病人。美术老师落魄已久，贫病交加，住不进房间里的正式病床。他的妻子孩子都不在身边，只有几个邻居和亲友过来照顾。那天陪床的人都回去吃饭，只有一个医院护工坐在床尾。这个疾病中的男子躺在一张简易钢丝床上，周围布满仪器，插着氧气管，已经到了弥留状态。

她慢慢走过去，靠近他。他剃了光头躺在那里，脸色蜡黄，半睡不醒，眼睛微微开启。氧气管子粘贴在人中位置，发出粗重的呼吸。本来挺拔的身形缩小了一圈，整个人似乎被抽空所有汁液和意志，只剩下一具腐朽的皮囊。他感觉到身边有人，干枯嘴唇翕动着，喉咙里发出呻吟。她听清楚那是水的发音，用棉纱浸泡了矿泉水，轻轻压在他的嘴唇上，让他舔着那些凉水。

她看着他，对他说话。她说，老师，我是内河。我在这里。

他眼神涣散地看着她的脸，发出含糊的声音，低声说，你回来了？内河。

是。我回来了。

你留在家里，不要再跑出去。我给你买栗子蛋糕回来。不要再哭。他的记忆回到了他们在苏州私奔同居的时候，却自动过滤掉此后一切波折苦痛。彼时她是任性少女，每次争吵哭闹，都会逃出家门，疲累时又悄悄回家，需索得到甜点就能得到安抚。这一刻，他看到的依旧是少女茶花般皎洁的面容。他生命中唯一一次奇遇的烟火，升腾得太高太迅疾，因此熄灭更显沉堕。他认了命。

她在他的枕头边蹲下来，伸手握住他蜷曲的手指。他已经五十岁了。苍老憔悴，像一只被倒空了粮食扔弃在墙脚的麻袋。不再是那个略带着颓唐气质的中年男子，可以轻易地把她抱起来，扛在肩膀上，让她倒着头惊喜地叫喊不已。他已经老了。快要死了。她把他散发着药水气味的手贴在脸上轻轻摩挲，用力嗅闻着，仿佛要寻觅到留在她记忆深处属于这个男子的气味。她的脸上焕发出一股幼小的柔和而明亮的光泽。时间迅速地倒退。所有的爱恋依旧潺潺涌动，欲念新鲜。

老师，她贴近他的脸，轻轻地说，让我们重新开始一次。再给我一次机会。她亲吻着他的手，喃喃自语。这曾经是她年少时最为意念坚定的一件事情。然后她为此被彻底摧毁。她在此刻一样忘记了为成长所付出的代价，坎坷流离，辗转反侧。再次回到自己的少年时代。对感情的需索如此卑微真切，不过是需要来自另一个人的重视肯定。但是他是软弱的中年人，在异乡意欲重新开始生活，兜转挣扎，不堪一击。年龄差异和个性冲突，最终无路可走。爱恋如此纯粹而剧烈，却最为无用，终于在现实面前折损粉碎，难以挽回。

男子此时已经没有力气回应她的任何言语，嘴唇微微颤动，半开的眼睛支撑不住闭了起来。只有胸腔起伏，发出浑厚而有力的呼吸，仿佛进退有序的潮水，澎湃着。他在用尽全身的力气支撑这呼吸。潮状呼吸。临死之前最后的一段呼吸。然后这潮水开始退却，缓慢，减弱，慢慢地平息下来。他绷紧的身体不再紧张。仿佛在瞬间，某种力量插上翅膀飞离了他苟延残喘的肉体。

他的脸上露出一种松弛的表情。没有光泽，没有温度。他的心脏已经静止。他死了。

护士匆促慌张地围过来，值班医生翻看他的眼皮，用电筒照他的瞳仁。他们给他拉出一张心电图之后，拔掉围绕着他身体的全部仪器电线，并开始褪下他的病号服。她一直惶然地站在旁边，此刻明白她即将要面对的损失，发了疯一样地猛扑上去，用力撕扯他的衣服领子，号啕大哭，高声尖叫。病房里的人，被这哭叫声惊动，纷纷汇聚到走廊里围观。

他的脑袋嗡的一声，感觉往日场景开始重演。他用力抱住她，连拖带拽地往外带。但是内河的力气大得惊人，她奋力推开他，固执地连滚带爬又靠近尸床，紧拽着男人的尸体不放，并持续用已经沙哑失声的喉咙发出歇斯底里的惨叫。

我突然之间就明白了。明白过来她内心积累下来的阴影从未被消释。他说。她把自己生命运行的模式，转换成一只蚌壳，分泌出黏液，用血肉包裹消磨最初的新鲜创口，时时刻刻，最终把它凝固成一枚坚硬而隐秘的内核，小心隐藏起来。这是创痛肉体中散发着明亮光泽的珠贝，属于她身体和情感的一部分。她的一生将注定为这内核提供养分和生命力。现在，她是一只被从深海里捞起、硬生生扳开紧闭双壳、从软肉里挖出珠核的贝壳。她不能够完整，痛不可忍。

他走上前去，抱住她的头，猛地把她的头箍在自己的胸上。直到她因为窒息而扭动着身体，无力挣扎。最终，整个身体软软地悬挂在他的手臂上。她失去了知觉。他贴着她的耳朵，轻声说，内河，你已经三十岁了。十多年过去了。你老了。他已经死了。这是现实。

第六场

花好月圆

「1」

他看到自己在幽暗细微中又回到那里。被终年潮湿浸染的森林，雾气白茫茫蔓延蒸腾。枝叶遮盖的深处，不见一丝光亮渗出。雨水落下并没有发出声音。所有声音，在产生的瞬间即已被森林的呼吸迅速而无情地吞噬。

树林中古老的冷杉和苍柏，一棵一棵寂然挺立。仿佛它们注定将以同样的姿态死去和灭绝。树干枝桠上覆盖密不透风的绿色蕨类苔藓。远处看，是毛茸茸厚实的一层绿衣。探近之后用手指触摸，能分辨出一簇一簇结构细密的小叶片。每一片都具备完整的形体，散发出呼吸以及饥饿渴望。浓密枝叶错落交织，构建了一个与世隔绝的小宇宙。

他看到自己在滂沱雨水中行走。脚下踩过的泥地和大小突兀的圆形卵石，被流水浸泡。冰冷溪水灌入早已湿透的胶鞋，脚趾被浸泡得膨胀发白。山林溪泉，在雨水中增加了力度，汩汩冲刷过草丛和岩石，带走色彩斑斓的落叶和浅紫粉白的野花花瓣。迂回转折，无可抵挡，赶往前路。

走路超过七个小时后，肌肉会产生麻痹感。仿佛一只被掏空的容器。力量如同蓄存的水，一股一股地漏失。外面是雨水，里面是汗水。必须凭靠行走时带来的热量替代体温的流失。一停下来就冷得浑身颤抖。

用拐杖支撑住身体，深深呼吸。站在溪泉和石头的中央，忽然听到来自森林深处的声音。隐约起伏。是蔓延无休止的雨水洒落在密林之中的声音。是置身密实阴凉的梦魇中所发出的呼吸。是风刮过树叶彼此摩擦发出共振。无法辨认。此刻听到的声音，低沉而又缓慢地逼近。一阵一阵涌动。此起彼伏。辗转迂回。恐惧在胸腔中顿住，如同留在枪管中的最后一颗子弹。蓄势待发。天罗地网的气势控制，步步为营。站在那里，无法动弹。

不管是一只困兽还是一个猎人，闯入森林的心脏，就必须要与它的威严作虚弱的较量。他抵达一处也许从未有阳光照耀进来且长年浸泡在雨水之中的树林。在翻越高山峻岭之后，感受到这寂静和暗的震慑。重重包裹。仿佛是已经在窒息中死寂，不会获得任何机会的世界。而在森林的侧边，江水湍急的声音围绕在山崖之下。穿越森林，就能看到汹涌奔腾的江河。

他似乎闻到她的气息，越来越近。是青色山脉和盛大江河所蒸腾出来的强有力的云烟雾气。也是梦中一棵绿色羽状羊齿植物的清淡气味。他闭上眼睛，在暗中看见她丧失了容颜的脸。每次与她分开之后，他都记不清楚她清晰的样子。不管这分别，是一个晚上、一个月、一年还是十年……他无法保全她在他内心留下的轮廓和印记。

但是此刻。他看到她在时间中停止了生长的面容，像发黄的粉白梨花花瓣，被风吹落，飘洒在整片山谷里，已经死去，依旧带着深不可测的回忆。冰凉雨水顺着他的眼睛，流过整张脸庞。在这寒冷以及孤立无援的处境之中。记忆来自脊椎某处负担着的一道被劈开的深重刀伤。他清晰地知道这疼痛来源于第几处骨节，手指触摸到凸起处便可以顺沿而上。他记得它，并且把它背负身上。这就是他记忆的模式。

他知道在这样的时刻，她一定会重新出现。

「2」

他把她抱出了医院。在车上她从癫狂状态中清醒。哭泣和叫嚎耗费太多体力，整个人虚软无力。眼睛红肿，嗓子嘶哑，不能说话。他带她回自己的新居。他的母亲在房间里看书，关闭着房门。他们悄悄经过客厅，直接进了他的房间。她不敢与他母亲打招呼。她知道他的母亲一直不喜欢她，因此在他母亲面前总是自卑，不自觉就选择躲避。

她在他房间的床边坐下来。轻轻地说，我饿了。善生。请不要开灯。他们都没有吃过晚饭。他起身走到客厅，看到桌子上有母亲放着的两碗香菇鸡汤面，倒扣着碗盖保温，想来是已经知道他与她去了医院的消息，做好面条特意等着他们回来吃。这么多年过去，母亲已经对这个命途坎坷的女孩子有所怜悯，不再如以前刻薄。

他端进房间，把面条给她。她在昏暗阴影中，大口吃完。她的确是饿了。颠沛流离的生活让她最终还是学会了自保，食物能够抵挡内心痛楚。她的神情已经冷静下来。

对不起，善生。她镇定地开口。我总是让你为难。其实我对他早已没有了爱，也没有任何恨意。在医院里，只是看到过去的自己，沦陷于卑微苦难的青春，无能为力，内心有怜悯。我与他彼时不过是一对无能为力的男女。年少一段感情，要花那么长久的时间，才能尝试鼓足勇气，替对方设身处地，并理解他。这样才能熄灭仇恨，用余下的时间一点一点修复和建设对爱的信任与信念。虽然这一切至为艰难。

我知道。内河。我知道你的困难。他听到自己的嘴唇发出艰涩的应对。应对这沉痛而真实的坦白。

他曾经对我说过那么多话。他说，某天，我们如果有翅膀，得以飞过世间的上空，只为俯视它们如何被摧毁成灰。他说，你原本就不属于它。你来到这里过路，不符合它的规则。你带走了我，我因此得以超越自己的重量，跟着你走。半途摔折下来的时候，我看见自己老了……我记得的都是一些细微的事，那些剩余下来的温热灰烬。有些回忆要竭力记得，有些回忆要快速遗忘。我们最后所得的全部还给了时间。

她的脸上露出淡淡的微笑。我从未怀疑过他对我说过的一切语言。他带给我的事，不管是趋向我，还是离弃我，都是真实的感情。感情正因为真实而软弱矛盾，带着罪恶，需要时间做最终审判。

我为他在青冈住了一年多，没有考入大学，被迫背井离乡。而这所有的事情，现在看来，稀松平常，根本不值得一提。我早已经决定遗忘他，只在心里留下一份感激。给过我感情的人，我都要感激他们。这么多年，在外面东走西走，经历了那么多的事。我知道，我可以忘记他。他不但老了，已经死了。我将来也会死。

这是多么虚无的一件事情。善生。我们的挣扎意义何在。

她躺下来开始入睡。说了太多的话，觉得困倦。衣服未脱，躺在他的床上睡足了一个下午。他坐在床边椅子上，也不做什么事，只是看着窗边暮色黯淡，渐渐被浓郁清凉的夜色包裹。房间里已经一片漆黑。他依旧没有开灯。

不知道过了多久。她醒过来。轻轻说，善生，我要喝水。

他在暗中倒了一杯凉水，递到她的面前。他说，我离婚了。内河。两个孩子跟着荷年走。我辞掉了工作。

她点头，并不觉得惊诧。说，在对待婚姻的态度上，我们也许是相似的。因为独立而强大的精神系统，所以决定一些事情的时候，很少顾虑到身边其他人的感受。其实是在伤害他们。我恐怕以后很难再有婚姻，也不想轻易再做尝试。但是你不同。善生。你一直比我更为孤独。你还会再次结婚。

她坐起来梳头。用木梳子把头发梳顺，编成麻花辫子，一边说，我有好几次梦见自己又回到儒雅。想起在清明节时吃一种糕点，叫青团。是糯米磨成粉做的团子，用植物叶子汁液染上的绿色。大年初一吃汤团，也是糯米粉做的，用猪油白糖芝麻做馅子，非常甜。还有年糕，裹上咸菜或白糖就可以直接吃。从小吃这样的食物长大。在生病或不舒服的时候，想吃一碗热烫甜糯的豆沙圆子，要的就是糯米粉落在胃里舒适温暖的感觉。但是离开家乡之后，很难找到。

台风天气。石板路都被海水淹没，到处飘浮着木盆、粮食、树枝和衣服。走在变成了汪洋大海的街道上，涉水嬉戏，多么快乐。为何童年过去得如此迅疾，我们生命中最美好的东西总是稍纵即逝。在外面走东走西，不知道有多想念家乡的台风、海鲜、蔷薇和栀子花，还有空气中的海水气味。真是恍然如梦。一下子就过去将近二十年。

他说，还是可以回去看看的。村庄还在。

不。那里该有很多变化。值得留恋的老街老宅都快被拆光了，都是新造起来的水泥房子。不必让自己失望。我知道故乡是一个人再也回不去的地方。它只能留在记忆里面。

你在西藏太危险。你的生活不可能一直这样一站一站地往下走。

那该如何呢。在城市里获取一席之地营营役役地终老吗，和人群一起在城市里虚妄地生活着，朝生暮死，不知所终……像一块没有任何知觉的肉。肉身的轮回沉沦是没有止境的。善生。貌似坚定的表象之下，只是幻觉。每个人在自己特定制造的愿意进入的幻觉中生活。而能够真正指导和支撑我们生活的意志到底是什么。

在旅途中，廉价旅馆的一张床位的价钱不到十块钱。一双价值二千块钱的意大利鞋子，可以交掉旅馆四五个月的房租。而后者不过是为了让你穿上几小时，吸引视线满足虚荣。某一天，你发现一双五块钱的麻编人字拖鞋就可以打发掉整个夏天。我有一年多没有任何化妆，不购置昂贵衣服。城市的消费怪圈和物质信念失去作用。所谓的奢侈品、高级品牌、时尚……它们使人们信奉形式和虚荣，充满进入上流社会的臆想。安享太平盛世。追求一只名牌包一辆名车使你疲于奔命。离开城市之后，你会发现它的畸形和假象，对人的智力是一种侮辱。

我一直脱离于社会与政治的主流之外，不看报纸电视新闻不参与体制没有固定工作没有组织没有家庭，情感关系很少接近没有，只有一些貌似稳定但只能用利益联结的合作关系。我试图做一个洁身自好独善其身的人，但最终发现那只能对个人内心产生作用。我还是必须要与世间产生联系。不能封闭自己。更不能选择在城市里封闭自己。

我已决定在墨脱中学教孩子们英语和语文一年。索朗梅措是达木乡的英语教师，他与墨脱的教育局熟悉，可以让我留下。这次他担任地理杂志社进墨脱做专题的翻译，一路给了我们很多帮助。编辑和摄影师们都已离开。我喜欢那里。要再回去。

进入墨脱你能获得意义吗……那不过是一个与世隔绝的穷乡僻壤。

她说，很多事情，必须要在亲身经历和体验它的多样性之后，再去确定它的唯一性。我要一些简单和重要的东西。尝试为身边的人服务，放低自己，有所付出。也许我所做的一切，不过是滴水之力，对身边的世间推进并不大，这个世界将依旧由权力和欲望来颠覆。但我成全自己所感受到的指引。这仅是属于我自己的微小而真实的信念。你明白我吗，善生……我不准备回来。以后会怎样，我也不想有计划。我只知道，我需要行动。

想起这么多年来累积的阴影，从来不存在的家庭，失败的初恋，曾被送进精神病院，我一直是个自尊微薄的女子，强烈地需要来自他人的认证：他们爱我，我才能爱自己。就像一个人不喜欢自己天生残疾的手，要砍掉它，一次又一次地折损自己，却依旧长不出一只能够获得认同的手。一直在失望。我终于发现这不是用来寻求爱的方式。这一切注定都是幻象，即使抓在手里，连绵起伏，乐此不疲，筋疲力尽。但始终不会带来道路。

「3」

彻夜倾谈，乐此不疲。这是他们少年时就已形成的模式。他们似早已习惯在彼此的人生中设置一个舞台背景，不动声色，不转不换。可以各自站在舞台的中央，对着一束洁白的光柱全神贯注，孜孜不倦地说话。她将会一直习惯这样寂寞地对他说话。只对他有话说。他也是如此。这个世间，只有他们两个人掌握了通往彼此内心的一条秘密小径。

终于他迷糊地进入睡眠，背对她安心入睡。夏夜闷热，他不喜开空调睡觉，只在床边放了一只小小的电风扇，叶片哗啦哗啦响个不停。小花园里母亲依旧种了蔷薇，此时开得正好。风中花香清甜，那满墙的烂漫花枝迎风招摇，光影闪烁。打在椅上如同浮动的画面。隐约听到攀满粉红蔷薇花藤蔓的墙壁外面，传来一阵脆脆的笑声。似有自行车的脚踏板被踩动后带动了链条，发出咯哒咯哒的声音。

他恍然看到自己走到小花园里，伸手搭上墙头，攀起身体探头张望。南方狭小逼仄的青石板巷道，寂静无人，月色清淡，只有一地被风吹落的粉白花瓣，兀自在风中细碎打转，溜溜地飘远。

他在梦中看到自己属于少年的前半生，终于可以轰轰烈烈地走远。而那个少女此刻又回到故里，回到他的房间里，和以前一样睡在他的单人木板床上，背对着他。两小无猜。她发出均匀的呼吸。天色很快就会发蓝变亮。他突然觉得时间太长了。怕和她来不及老去就会分别。他从来都不觉得一生能够这样长。在寂静的微光中，只觉得心里酸楚难忍。然后眼角就有眼泪默默地流下来。

凌晨五点，感觉身边躺着的女孩要起身离开。长长发辫扫过，身上裙褶发出簌簌响声。从皮肤散发出来的温热如小兽般的气息，依旧熟悉。他惊醒过来，看到她背靠着墙坐在床的里边，静静对着洒进来的路灯光抽一根烟。看着他，轻声微笑，说，我在这里。我还未走。

她吐出白色烟圈，慢慢地说，我刚刚做梦。梦见自己回到小学时候，在一个露天课堂里上课。同学很多，热闹地换着座位。但那露天课堂又仿佛是一个热闹的集市。看到父母一起来探望我。我的爸爸和妈妈，似乎是很年轻的模样，寻找着来看他们的小女儿上课有没有乖顺。脸上还有笑容。梦里只觉得欣喜而又害羞。但是我其实完全不知道父亲长什么样子。也不记得母亲的脸。那仿佛已经是前生的事情。善生。我在梦中这样快乐。

黑暗中，他又看到她眼睛里闪烁的眼泪。那珍珠一样明亮而疼痛的眼泪。他慢慢地伸出手，摊开手心放在她的眼睛下，想去接住那些泪水。但他知道，这只是他的幻觉。她收起他的手心，说，我没有哭。善生。是你哭了。

她伸出手抚摸他脸上的泪水，轻轻说，你总是在我面前流泪。为你自己的羞耻和软弱哭，为我的羞耻和软弱哭。也许眼泪能够让你释放内心的压力。我从未见过比你更爱流泪的男子。我们的一生，能够碰到在一起相对流泪而不觉得羞耻的人，还会有几个。

他说，能够不再远行吗。内河。人生不过如此，不要再四处漂泊，颠沛流离。不如让我们回到故里，慢慢一起老死，寂静度过余生。

她说，我幻想过以后自己会有固定的房子而不用总是搬来搬去，有活泼可爱的孩子围绕于膝下，有一个敦厚善良的男子彼此相伴，有可以种植庄稼的 小块土地，有狗和猫在小花园里晒太阳 日复日地天亮，日复一日地天黑，人生的确会过去得快一些。

他说，如果你愿意，这些幻想都可以实现。

她静默地看着他，良久。低下头去，讪笑起来，说，不。我的一生从未做到过在俗世的幸福面前可以理所当然，虽然我也会向往。但我知道它们不是我在寻找的最终的东西。我这一生，落魄动荡的生活，就像早春开的花。其他的花都还紧紧地含着苞，它就嘣的一声开了，令人惊跳。注定要独自度过最寒冷寂寥的时光。等其他的花热烈地开放，它又要谢了。结出果实。这是我的方式。

善生，你偶尔跟随着我迷路进入森林，踌躇困惑，已知道我们属于不同的世界。你要往回退，而我依旧要往前走。我们有各自的路要走。我知道你是天性喜欢婚姻的男子。你会有新的妻子。但那会是与我截然不同的女子。一起生活的男女只能先彼此盲目和麻木，我们之间如此清醒，并且尊重对方。我们给予对方的感情，不属于任何约定的范畴。

你的身体里有两个分裂的人，一个带着野心和欲望，有力坚定，试图填补你的内心伤口，一个是安静的漫不经心的颓唐的你。你本该注定成功并且会一直成功下去，但你摆脱不了骨子里另一个的力量。那消极的黑色的力量，总是把正在上进的你往下拖拉。你并不认为自己是一个成功的男人。善生。事实上，你一直觉得自己是受伤的孩子。也许只有我会这样看你。

她似有无限伤感，轻轻说，我们几时才会再相见呢。年岁越大，便觉得相聚不容易。不像以前，翻过花园的矮墙与你告别，知道明天还会与你在学校里碰头，心里一丝留恋也无。进出墨脱只能靠徒步，路途艰难。但是你以后可以过来看望我吗。你会来吗，善生？她的语气郑重。

是。我会来。他黯然地看着她，说，如果你天亮要离开，请与我道别。内河。

整夜倾谈耗费太多精力。再次入睡之后他便进入深沉睡眠，一夜无梦。次日醒来，天光白日，将近中午。她已经离开。天刚亮便去了机场，坐早班飞机去往成都转机回拉萨。桌子上留下一张拆开的香烟纸壳，空白地摊开，没有只言片语。想来是在他酣睡的时候，她独自醒来，想用书信告别，徘徊思量，千言万语，终于还是不告而别。

走出房间，母亲坐在客厅里，对着一室暖煦阳光，静静看着他，似期待他的说明。她本以为他能够把这个女孩子留下来。他说，她走了。她还未曾想停留下来。母亲哦了一声，没有说什么话，起身默默进厨房做早餐。

「4」

清晨离开的时候，背崩的雨依旧滂沱无休。整片村庄和山谷在风雨笼罩之中。他们打好绑腿，穿上雨衣。她换了一双大尺码的新胶鞋。因为脚受伤肿胀，已经无法塞入原来的鞋子。她相信走路一段时间，热量的产生会阻挡住疼痛。为了不在受伤部位着力，只能用脚掌的侧面走路。一瘸一拐拄着树枝做的拐杖。他们在苍茫大雨中踏上去往墨脱的最后一段路途。

如果没有意外，将在八个小时之后抵达目的地。路上的蚂蟥减少，路况也平整明朗很多。不需要再穿越原始森林。地势慢慢降低，温度开始升高。走过的有些地区出现了太阳。只是山崖小路因为长时间被雨水浸泡形成沼泽，没有一处干净的地方可走。双脚完全陷入烂泥之中。一脚深一脚浅，缓慢前行。

大片大片的芭蕉林。绚烂野花盛开，白色粉红浅紫的小花在草丛中开得肆意。之前的路程，目的地的出现总是会在预感之中。而走到这里，只觉得这地形非常诡异，一直在沿着马蹄形的山崖小路一圈一圈地盘旋而行，不见尽头。这里的地形远近都相似，就是绕着雅鲁藏布江的迂回路线，沿旁边山谷悬崖上行走。路延伸得无边无际。走的时间一长，人就觉得无限疲惫。这一段路程，感觉比以往的都更为漫长，更令人焦灼。

下午两点，经过小村庄雅让。在地图上看，它离墨脱已经非常靠近。山腰上稀落地搭建起一些木头棚房子，住着人家。黑猪在路上游逛。在路边的小店铺里用高价买下两罐可乐，庆昭平素不喝可乐，但此刻身体需要糖分和高热量补充，喝下之后只觉畅快。两三个当地的小孩子围过来，与他们对望。女孩子光着脚，穿着布裙，剃和男孩子一样的光头，眼睛漆黑明亮。身边跑动着一只黑色的品种奇特的小狗，天真活泼。她从背囊里找巧克力分给他们，又问他们，抵达墨脱需要多少时间。女孩子说，再走三个小时就到了。很快很快。

路途重复单调地延长。不变的绕圈，不变的烂泥沼泽。他们一路都在观望四周，希望能够出现一些房屋人烟的踪影，即使是在迢迢远处，心里有了根底，走路会更有劲道。但是墨脱却仿佛一直隐藏在山峦深处。转眼又走了近两个小时。依旧毫无目标。突然看到河的对岸山腰上，有一些白色的砖泥房子，排列得整齐有序。她转头看他，他也已经非常疲惫，一直默默走路。

墨脱会是在对面吗。善生。

不知道。很难判别。不过山脚下是有一座大桥，可以通过去。

差不多应该到了吧。前面还会有房子吗?

可惜路上也无当地人经过，不然可以给我们指一下方向。

那我们过桥吧。对面应该是有人的。

嗯。过去看看。

天晴好了半日，此时却又稀稀落落地掉下了雨滴。他们都渴望能够尽快地抵达目的地，能够换干燥衣服，烤火，有热茶和食物，得以休息。过桥之前，再次遭遇一处尚未定形的塌方，一边通过窄小的沙石小径，一边断崖面上的小石头还在扑扑地往下滚落，似随时都会有乱石洪流倾泻而下。连滚带爬，甚是狼狈。她只愿这是通过的最后一道鬼门关。这个让人惊魂不定的塌方几近摧毁她的意志。但是走过藤条大桥的时候，心里却有疑惑。桥的尽头立着石碑，上面写着德兴桥。有一种强烈的预感。感觉前方等待他们的并不是墨脱。

又是一段持续约一个小时的上坡路。快接近村子的时候，遇见一个当地人。询问的结果在意料之中：他们走了错路。此地是德兴。墨脱依旧在江的另一面。他们不该换道过江，应该沿着那条原路坚持到底。再走一两个小时，就可抵达墨脱。

她对他说，原来孩子们的数字概念与我们不同。他们说的三个小时，是当地人的速度，该说四五个小时还差不多。

那我们在此留宿，还是原路返回？

快速掉头。虽然耽搁了时间，但至少走三四个小时左右，还是可以抵达墨脱。

天色已经黑了。他说，想必会在夜色中走山路。

那也应该在今大抵达墨脱。

再次走过大桥。又再次穿越那个不稳定的塌方。在暮色深浓中重新走上沼泽遍地的崖边小路。天空的黑幕，仿佛是在瞬间，刷的一声就严严实实地拉上了。一片寂静黑暗。雨水却下大了起来。又冷又饿。体力因为三四个小时的误走，几近透支。茫茫黑夜和滂沱大雨，不会终止。森林此刻似乎凝聚着危险和野性的力量，是静静守候在黑暗中的野兽，发出潮水一般的喘息。山路依旧在曲折迂回地绕圈。她受伤而未曾愈合创口的脚已经麻木。踩出去的脚步虚弱无力。她第一次感觉到内心被击败。沮丧。茫然。焦灼。不知道目的地何时会出现。脚下一软，整个人滑倒在泥地上，一时竟没有力气站起来。

善生，我实在太累了。她的背贴着雨水流淌的烂泥山路，浑身寒冷而颤抖。她的声音已经崩溃。

他手里捏着的电筒，只能照亮前面十米左右的范围。他把她的背囊拿过去扛在自己的肩上，蹲下来抚摸她的头发，说，我们会走到的。如果在这里逗留，恐怕会有野兽出来。

我知道。我知道。她用手抱住自己的头，痛苦地喘息，说，请让我稍微歇息一下。我实在是走不动了。

他从背包里拿出用锡纸包裹着的最后一块巧克力，让她吃下去。又让她喝水壶里所剩不多的冰凉茶水。他说，我应该先单独跑到前面去看一看，也许会有人来接应我们，但是又不能把你一个人放在这里。这样很危险。

不。我们在一起。不要分开。我喘一口气，就起来。

对不起，庆昭。他在滂沱大雨的微弱光亮之中，默默地看着她。

她用了忍耐的极限，支撑自己继续走路。沼泽湿地和倾盆大雨。两条腿仿佛已经不属于自己。像断了线的木偶，不受控制，没有意识，只是动作机械地前行。筋疲力尽。

有一个瞬间，她以为自己是在一个梦魇里，无法醒来，被这黑暗的压力胁迫，没有丝毫出路。转过一个山坡，又一个山坡。隐约看到远处的田地出现手持电筒的路人，似乎正大声说话向这边走来。他奋力挥动手里的电筒，向他们打招呼，示意他和庆昭所处的方位。他们看到了，朝这边走过来。一个年轻男子的声音，穿越雨雾，高声地叫着，你们要去哪里？那是过路的当地人。他们互相扶持着，内心激奋，加快速度向前面走过去。

刚一拐弯，前面豁然开朗。对面黑色山坡上出现大片闪耀灯火。明明灭灭如同繁星。灯火在山谷和山顶汇聚，像从夜空流淌下来的银河。隐约可见木头房子和树木的轮廓。有了烟火人声。仿佛与世隔绝的人间仙境。大雨中抵达的高山小镇。她听到从自己胸腔最底处发出来的声音，充满惊喜和眼泪。善生，是墨脱。我们到啦。

「5」

那一天做梦，我又回到海岛。他说。我看到我们在清晨醒来，她走在我的前面，拉着我的手，追随奇异的声音，向树林的深处走去。泥地上的羊齿植物在金色阳光之下呈现透明，能够看到绿色叶片上，遍布的分叉细脉。羽状叶片边缘，有柔和的浅波形状、齿状和锯齿状……最长的叶片可抵达我们的腰部。来回摩擦，发出碎裂般细响。绮丽纷繁。浪潮般起伏。

那声音。像雷电袭击过夏日田野，残留下低沉余音，消失在云层之下的回声。看到蝴蝶。数以万计的黄色蝴蝶。覆盖松树粗壮的老树干，像毯子一样，从树顶一直蔓延铺展到泥地上。彼此拥挤在一起蠕动，沐浴阳光。有些则在溪水边上喝水。上万对翅膀一起，轻轻地互相撞击扑动，发出嗡嗡的声音。光柱之中绚烂的粉末蒸腾飞舞。空气中洋溢着花朵干燥刺鼻的气味……惊心动魄。在森林中见到蝴蝶在迁徙路途中休憩。这样的事情也许一生只会遇见一次。

她的心在十三岁那年停止了生长。沉浸于蝴蝶的邂逅奇遇，终生躲避在寂寥无人却华丽神秘的森林之中。着迷于它的幻觉。

一只蝴蝶的生涯，从卵，到毛虫，吸取树枝的汁液和露水，长出翅膀，然后进行一千多公里的长途迁徙。在中途它们休息，寻找食物，交配，产卵，沦陷为另一种强大动物的食物，折跌了翅膀，死去……尸体被有机分解，最终渗入空气或泥土之中。在上万只蝴蝶迁徙的队伍中，死去的任何一只都迅速失去踪影。它不具备意义。它只是在获取生命的证明。

她说，善生，这不仅仅是奇观。我们必须信任生活里最为真实的内容，而不被它的表象蒙蔽。我愿意付出代价获取这证明。即使这些代价不够理性也不会有回报。

那年春天黄昏。他觉得困倦，躺在客厅的长沙发上，闭上眼睛想入睡。外面淅淅沥沥下起雨。渐渐雨声就变得大，似还听到雷电的声音。他迷迷糊糊，蜷缩起身体，觉得微凉却又没有力气起身去取毯子。这样半梦半醒不太舒服地睡着，突然看到她推开客厅的门，从花园外面走了进来。

她似走了长路，浑身被雨水淋得湿透。走进门来，站在光线阴暗的墙角边，长发潮湿地贴在脸上，穿着一条简单的白布裙子，是她十三岁时候经常穿的那种无领无袖的式样。赤脚，小腿上还有泥水。脸上一贯笑嘻嘻的表情，没心没肺地露出她大颗大颗的洁白牙齿，像某种幼兽。

他坐起身来，默默看着她。他看到她内心的孩子，是现在出现在他面前穿着白裙被淋湿的女子。她似乎很疲惫，身体略显僵硬。他向她走去，看到她的身体在轻轻颤抖。她说，善生，看看我的背。我一路感觉很重，疼得要命。却不知道发生什么事情。

那一年他带她去杭州的医院，曾经想过，如果她出了意外死在那里，他要把她的尸体扛回去。这一定是她想让他做的事情。他又带着她辗转在几个医院之间进行抽血化验B超检查，确定子宫之外是否还存在遗漏的受精卵。他经常独自从梦魇里醒来，看见她腹部鼓胀起来，浑身鲜血。她一味倔强地闷声不响。他只觉得自己非常疼痛。在梦里带着她四处奔跑，慌不择路，只想把她藏蔽起来。这样别人就找不到她，不会发现她。

他曾试图回到规则和理性的一边，不愿走近她，故意装作对她视而不见，漠不关心。被禁忌的软弱和羞耻。他放逐她离开他的凡俗生活。而在内心深处，他对她的责任，息息相关，感同身受。从未结束。他始终是那个被劈了一刀只能闷头走路的人。躲无可躲。

他解开她后背的裙子纽扣，看到她瘦而凛冽的背部，脊椎骨节清晰凸显，像啃食之后的鱼骨一样凸起。中间有一块硕大的长形囊肿高高隆起，下端边缘紧紧连接着她的皮肤。那块囊肿在滑动，颜色转变成一种充满爆裂感的深红。他伸出手轻轻触摸这块附生的肿物，柔软发烫。她因为他的触摸，身体轻轻颤抖。她说，如果有东西在，请帮我割掉它。

他从厨房里拿出一把切水果用的小刀，顺着皮肤的边缘，开始切割。刀片切入的感觉很顺利，滑动顺畅。没有任何鲜血渗出。在它逐渐脱离的过程中，突然从里面伸展出一对巨大的蓝紫色的翅膀，翅膀上有华丽得令人眩晕的圆环形花纹。接着昆虫的肢体开始出现。两条深绿色的粗壮触角。狡黠的眼睛。那是她一直喜欢并且幻想得到的热带雨林中的蝴蝶。一只无比真实的绿鸟翼蝶，散发着刚刚从血肉囊块里突破出来的热乎乎的潮湿腥气。

它脱离了她的身体，几乎在瞬间就失去了生命。啪的一声坠落在地上。如同跌至粉碎的一只玻璃空瓶，化为碎末。

他重新帮她扣上纽扣，说，你休息一会儿吗？

她说，不。我现在一身轻松，放了负担。我们要再见了，善生。

他说，与你分别之后，我觉得非常孤独。仿佛一个人沉没于无垠的海底，覆盖过来的海水，堵塞住一切通道。屏住呼吸，试图存活在这个已经无人可以交会的世间。有时候我不知道该如何生活下去，内河。

她说，不要觉得失望。善生。所有的幻觉像美丽的肥皂泡一样破灭之后，你发现自己坐在一个黑暗的牢笼里。但是一切就是如此。人生是苦痛的。我们不需要言语。行动起来。

她清脆的语音消失在空气里。然后她微笑着站在阴影之中，等待他拥抱她。他们是彼此的一生中唯一的一个朋友。这来自漫长的缓慢而又迅疾的时间的确认。此刻他拥抱她进入他的怀里，彼此都有一种似乎重新开始的激奋。似乎漫长的生命路途伸展在前方，新事将层出不穷，无畏无惧。他们依旧是活泼新鲜的少年。生命充满诸多的可能性。没有苍老。没有软弱。

她对他道别，转身走出客厅，离他而去。他在寒冷中惊醒过来，看到时间停留在深夜十二点四十五分。那天是七月十五日。

「6」

他睁开眼睛，清晨明亮的阳光从玻璃窗外照射进来，晃动在脸上。难得的晴朗天气。空气新鲜而轻盈，轻轻呼吸一口，在胸腔中完全吸收渗透。他清醒过来，肌肉的酸痛完全消失，浑身活力充沛。那时天黑，并未看清楚这个小村的模样。现在只见窗外围拢层层叠叠苍绿的山峦，山顶有长年笼罩的白色云团。蓝色天空格外清透。他穿好衣服，走到了屋外。

深夜在大雨中抵达墨脱之后，他们在当地人的引领之下，找了一家小旅馆住下。浑身湿透，狼狈不堪。旅馆的房间窄小肮脏，床上有散发出异味的潮湿棉被，但在山路上风雨交加地长途跋涉之后，小小蜗居也是天堂所在。擦洗掉泥水之后他们就躺下休息。终于可以暂时放下所有重负。安全抵达目的地。

走廊里挂满昨夜换下的曾沾满泥浆的潮湿衣服、鞋袜、背囊，都已清洗洁净，晾晒在屋子外面的走廊栏杆上。她洗完衣物之后，换了件干净的刺绣上衣，在走廊外的空地上放一只小板凳，坐在上面晒太阳。她现在可以彻底裸露出受伤的脚，伤口红肿溃烂，所幸的是不再需要在泥水中浸泡。他们要在抵达的村落里停留，直到伤口愈合体力恢复再动身离开。

她洗了头发。一头漆黑长发亮闪闪的，散发出清香。一路她都像个男子般坚韧朴素。此刻重新散发出女性的气息和光芒。

她说，你醒了，善生。去厨房吃早饭。老板娘做了红薯稀饭。

他坐在小木桌子旁边，看着端上来的稀饭和榨菜。她在一边看着他，轻轻地说，我刚刚问过老板娘，她说墨脱中学就在附近，离我们住的地方不远。

他说，不着急，我要先找到一个人。

是索朗梅措吗。

是。

我刚刚已经出去逛过。大部分都是木头房子和四川人开的小店铺。村落并没有想象中的美丽，它很普通。我想美景泛指它周围的地形，及所走过的一路旅程。这也是预料之中。

他说，这是普遍的真理。过程有时重于结局。

我要这个结局。我着急想见到内河。善生。我开始害怕这是否是你杜撰出来的故事。我怕这个人并不存在。

他说，她是存在的。我十三岁就与她结识，有生之年，她是我唯一的朋友。你要相信我。庆昭。

他缓慢放松地吃完早饭，用已经能够接通信号的手机打了一个电话。然后他换了一件干净的白色衬衣，对着厨房里光线阴暗的小破镜子剃须。他已经很长时间没有仔细地刮胡子了。洗干净脸，拿出一瓶蓝色的松木气味的爽肤水，轻轻地拍在脸颊、下巴上。他仔细地清洁和整理自己。

她说，你见到她，会不会告诉她，为了看望她，在路上好几次差点就被泥石流砸死。

她预料得到。他说，并且她会不以为然。

此时门口进来一个皮肤黝黑的清瘦的藏族男子，穿着衬衣长裤，斯文的装束。轻轻叩了一下门板，说，请问是内河的朋友吗？

他回过头去，说，是。我是她的朋友。

他们跟随着索朗梅措，去往墨脱中学。索朗简单地介绍了一下中学的情况，说只有一百个不到的孩子，老师大概六位，要同时教好几门课程，大部分是志愿者，有些志愿者已经在墨脱停留了五六年。

内河在这里教什么呢？她问。

她教语文、英语和生物。给学校带来许多新的改进。让孩子们成立兴趣小组。组织运动会、联欢会。与外界出版社联络，让他们捐助图书，建立了小型图书馆。附近德兴、背崩的孩子，都会过来借书阅览。她是一个独特的老师，学识丰富，性格真诚。不仅仅是授予孩子们知识，她更愿意与他们一起相处。索朗梅措轻轻地说，无可置疑，她是一个好老师。她带来新鲜开放的气息。孩子们都很尊敬和喜欢她。

他们已经走到学校。操场铺满沙石。这天是星期日，学生们休息，只有三三两两的孩子在里面逗留。这些长年居住在峡谷里的孩子，即使已经十二三岁，也大都光着脚。皮肤黝黑，眼睛湛亮。物质匮乏环境封闭，并未磨灭他们在大自然中自由生长起来的活泼心智。他们好奇地打量着明显来自外界的客人，试图靠近他们说话。索朗梅措没有停下脚步，飞快走在前面，径直把他们带到后院的教工宿舍。那是一排简陋平层的木头房子。他打开最后一间房子的门锁。

从明亮阳光下陡然进入黑暗的房间，眼前几乎一片漆黑，什么都看不见，慢慢地才恢复视力。房间逼仄阴冷。单人木板床，叠得整齐的被单。洗脸架上搁着毛巾和洗脸盆。一张破旧的木桌子和椅子。桌子上放着一只旧木相框。她走过去，伸手拿起那张照片。

一个年轻女子和几个孩子站在山间的路上，是他们一路徒步过来的路途中，最为常见的山崖羊肠小道，背后层峦叠嶂。艳阳春天，女子穿着当地妇女的刺绣粗布上衣，头发编着麻花辫子，辫子上插满洁白的野山茶。黝黑，清瘦，明亮。她看着这张照片中女子的眼睛。那双眼睛水汪汪的，仿佛蓄满眼泪即将要流下她内心全部的清凉和伤感。照片中所有的人都光着脚，都在灿烂无比的阳光下展露笑容。这样坦然纯真的笑容，是与天地融为一体才能有的质地。

这是她第一次见到内河。她的面容。这个存活在一个陌生同行男子的往事和回忆之中的女子。她真实的面容，从一张发黄的照片中闪烁出暗的光。

她陡然放下那照片，感觉到空气里的异样。房间明显长久没有人居住，没有私人用品，没有杂物，没有温暖的人气。索朗梅措打开木箱子，拿出一只红色印花粗布的包裹。他把它放在床上解开来，里面有一只陈旧的相机、一些黑白照片、手写的稿纸及一只银镯。

他说，一直没有新的老师支援进来，所以这个房间还是空着。我尽可能地保留它空缺，以等待你们来认领她的物品。书和大部分衣服，全部分给了孩子们。我知道这些留下来会是她的意思。他拿起那只银镯，说，出事前几天她就说镯子丢了，一直找不着。但是我后来在门槛下面的草丛里找到。

她伸手接过那只银镯。很旧的老银，表面已有磨损，但依旧可见到繁复精细的镂刻图纹，是线条拙朴的四段花卉图，分别是荷花、兰花、梅花和桃花。背面有一个四周围了边框的汉字，是繁体的苏字。她轻声地问，出了什么事情。内河怎么了？她听到自己的喉咙发出咯咯的声音，不可控制。捏住手心，那里都是黏湿冰冷的汗水。

藏族男子看着她的眼睛，说，她在一个雨天送几个孩子回家，送完之后独自回来，在路上遭遇了泥石流，被冲到山下的江里。那天是七月十五日，是晚上十点左右出的事情。尸体到现在也未找到。我曾帮她在波密寄信，知道她一直与善生联系。所以她失事之后，我写信联系了他。让他过来取走遗物。那已经是两年之前的事情了。

她转过头去看善生。他默默地坐在床沿上，神情平静。自进入房间之后，他未发出过声音。他抬起头，看着她，说，我说过会来看望她。这是我来墨脱唯一的目的。是我答应过她的事。

「7」

他们在墨脱停留三天后离开。

天未亮，旅馆老板娘早起为他们做了热稀粥和包子。这个勤勉的四川妇女还记得内河。说已经是很久之前的事。她的丈夫是背夫，那时内河经常会到她这里来吃红薯粥，托她的丈夫带信去波密。走在路上总是大声爽朗地对人打招呼，脸上带着微笑，俯下身就能干活，根本不像是从大城市里来的女子。孩子们都喜欢她。她给他们讲述外面的世界以及知识和道理，是他们很难得的信息来源。

她说，我从来没见过这样温和善良的人。喜欢孩子，敬重老人。对猫猫狗狗都很好。喜欢花。经常自己爬到高高的山岭上面去。只是不知道她到底是从哪里来的，以后又准备去哪里。也不结婚，也没有孩子。自己孤身一人跑到这偏僻地方来。问她，她就笑笑说，没有打算。先把眼前的事情做好再说。结果……大家都想把尸体捞回来，但是哪里也找不着。现在终于等到朋友来看她了……

庆昭转过脸去看善生，他已经喝完粥，在收拾背囊。他抵达这里后，就更少说话。他把镯子递给庆昭，说，你的镯子在路途中丢失了，戴着这个。她说，你不留着吗？他说，不用。他看着她把那只陈旧的银镯套在了左手手腕上。

索朗梅措过来相送。他说从墨脱走到108K，然后到80K，需要两天。到了80K就可以搭车到波密。但听到来自背夫的消息，嘎隆拉雪山刚下过一场大雪，冰雪封山，公路阻塞。所以，如果不想在80K滞留等待雪融通车，就需要搭车到52K，翻越大雪山到28K，才有可能搭到车子到波密。这样行程就又增加了两天。他们走出峡谷的路途，还需要四天。

他说，一路上都是地质活动频繁的地区，山体塌方多发并严重。出去的路途并不比进来的轻松，有可能还会更危险。一定要小心照顾好自己。

他们告别旅馆店主和索朗梅措，扛起背囊，踏上路途。下坡，上坡，翻越山岭。休息之后体能充沛，步履轻快，转眼就走出了高山环绕之中的村镇。四十分钟左右，他们已走到了对面的山崖上。在山道的拐角处伫立，回头再次看山下还未苏醒过来的土地。

黎明即将到来。天空呈现一种寂寥而沉重的灰蓝色，映衬绵延起伏的重重山峦。这些苍翠高山终年云雾缭绕，云层厚重流连。此时有难以言述的寂然。而狭长山丘上存在了几百年的村落，深深隐藏在群山之中，木头房子密集分布如同棋子撒落，等待收割的秋天稻田金黄醇厚。天幕闪烁稀薄的星辰，曙光即将从膨胀丰盛的云霞之中映染而出。空气中有清凉而刺鼻的灌木气味。鸟声清脆。来路已经不可见。而前路苍茫无着，曲折小径不可思量，通往一层叠一层的群山峻岭。遥远天际矗立一座高耸雪山，线条简洁，清冷无边。皑皑白雪柔和地覆盖在金字塔形的山巅上。仿佛它与时间等同地存在，已使它完全超然世外，却又与这天地密不可分。

清晨微光突破沉沉雾霭。仿佛在突然之间，幕布被掀开。太阳的光线渗透而出。雪山那锯齿般的峰峦呈现出鲜明轮廓，斜面折射出光芒，产生有生命力的变化。阴沉的蓝紫色，过渡至银灰色，然后在透亮光芒抚摸下，蔓延出一种淡淡的粉红色。直到最后，太阳破云而出。雪山峰顶呈现璀璨的血红，如同火焰燃烧。无可置疑。天地发生的细腻色彩过渡充满神奇。此刻。阳光温暖明亮地洒落大地。村落的房子上飘出白色的袅袅炊烟。谷地中一面静寂的蓝色湖泊，纹丝不动，倒映着天光山影。这高山之上的湖泊，也许是地球的最后一滴眼泪。雾气消散。整个山谷清朗肃穆，万物寡言，光线流动，蕴藏着宁静而深不可测的力量。

他们长久地凝望这片天地。以及留存在其中的神秘又与世隔绝的村庄和山峦。人世的喧嚣和浮华不能与它对峙，即使轮转的生命也不能够。这一刻，他们停留在世间的边缘，与之惜别。也许这就是最后一眼的留恋。豁出生命与之靠近，最后双手空空走出。他们注定将用余下来的一生与此告别，并以此验证它在时间中留下的烙印和标记。

「8」

他收到来自墨脱发自波密的信，知道她在江水中失踪的消息。她的事情在报纸上有了报道。主流媒体用整版篇幅介绍这个在墨脱教书的女子，网络上开始转载报道和传播流言蜚语。他们采访认识她的人，她曾经的同学、同事、朋友。这个一直寂寂无名的边缘摄影师、设计师、写作者、教师……她有太多身份，生活复杂。她所有的事情，都在记者的刨根问底中曝光。同时登出的，包括她在精神病院中的登记照片、她的摄影照片、她的诗歌、她的小说、她的设计作品……

一些与她从无来往的人，跳出来对她口若悬河地发表议论和评价。诉说他们对她的回忆，讨论关于她的是非。他们猜测她是为恋爱所伤才进入山村教书，猜测她的精神疾病长久以来并未完全康复，猜测她为了成名和炒作自己所以故作姿态，以奇突的经历拔高自己……他相信报纸上出现的那个苏内河，那个名字，与那个真实的女子，与他所知道的人，没有丝毫的关系。

记者的电话又打进来，就仿佛她少年出事的时候，警察来学校找他作调查。别人知道他与她之间的亲近，但不知道只有他是她唯一的朋友，知道她所有事情。而他能做的反应依旧和过去一样：挂掉电话，拒绝一切询问。他为她守口如瓶，一言不发。

只是觉得非常孤独。这才是他面临的损失。仿佛一个人沉没于无垠的海底，覆盖过来的海水，已经堵塞住一切通道。他屏住呼吸，试图存活，在这个已经无人可以交会的世间。迟迟不愿意去墨脱，因为她的尸体始终没有找到。他不相信她已经消失。也许她会突然再次出现在他的面前，告诉他她只是去了世界的某个地方，会再次回来。他需要这想象。他见不到她的尸体。他宁可相信她只是失踪。

他依旧是那个被劈了一刀只能闷头走路的人。外表看起来若无其事。决定振作起来重新做事。在湖边开了一家杂货店，取名为鸿禧，售卖古董家具，以及雕版、瓷器、玉石等古玩。他去福建、山西、安徽，收购老家具，运回之后修缮，重新设计组合。因为眼光精到独特，请的木工和油漆师傅手艺出色，以及他多年在大机构管理层训练出来的商业素质和对品质与风格的注重，店里的货物出货很快，与荷兰、法国、日本的客户建立了长期合作关系，固定给他们供货。生意和兴趣相结合，运转顺利。

他似乎命中注定做什么事情都会成功。从未艰难地探索过任何路途，或者那种彷徨只维持很短的一段时间，总是很快柳暗花明。他已经把自己的阵地缩小。很明显。手下不再是几百人的大机构，需要的只是几个伙计。沉浸在那些被时间抚摸过的老木头老瓷器之中，令他觉得安宁。他习惯了空气中旧日灰尘的气息。

再次结婚，一如内河曾经给过他的预言。第二任妻子良受，是他的助理兼财务。典型的南方女子，性情温柔，一直协助他工作，默默处理琐碎事情，无微不至。到后来，职能扩展到他的私人生活，给他打理衣服、行李，照顾他与他母亲的饮食起居。其实已经是一个妻子的身份。

她有一张暖和洁净的脸。走路和说话的声音，轻盈如鹿。依旧有很多女性给予他热切爱慕，有些比她要优秀能干得多，更值得他关注。她是这样普通的女子，没有显赫的家世背景，没有明显的性格特征，站在角落里可以像一盆植物一样安静。只是纯良端正，形同虚设。

她帮他收拾行李箱，把西服、衬衣和领带一丝不苟地折叠好，放置起来。她纤细洁白的手指，默默地抚平衣服上细微的褶皱，一遍一遍抚摸着他的衬衣领口。他在旁边观望，心静如水。是。他一直感觉孤独。他需要建立一个家庭来获得休憩。但他不会再以实用性为目的去选择一个女子。事实证明那是无效的。他已经足够强大。

他向她求婚。她为此艰难地与认识了近十年的男友分手。即使他不是她的老板，她也会这样做。她一直仰慕和敬重他。沉默寡言而又卓尔不群的男子。经常穿一件白棉衬衣，平头，眉目清冷。他与所置身的城市似乎没有任何关联。隐匿低调的生活，几乎不见任何外人。

他的婚期定在三十三岁的春天。良受穿着白色婚纱从轿车里出来，高跟鞋踩进石板道上的水洼里。路面泥泞里的樱花花瓣，溅在裙边上，零落不堪。他抬起头，看到阴沉天空飘飞细细的雨丝。一切似曾相识。他把大颗钻石戒指套到她的手指上，良受当场喜极而泣。她不过是一个至为平凡普通的女子，从未想过自己的生命有如此之重的殊遇。他是这样出色的男子。虽然她从未明白他心里的所思所想。她无法理解他，也无法控制他。但他最起码在形式上已经归她所有。他把一个家庭交付给了她。

他们唯一相同的是，都是相信婚姻和家庭的人。一生都在把这种形式感当做躲避人生磨难的硬壳。如同需要背负着安全感前行的蜗牛。另一些人的意志不同，要浪迹天涯，义无反顾。像墙头蔷薇野性坚韧，遍地扎根，迎风而生。不是所有的人都能做到提前盛放，提前枯萎。他的人生一直循规蹈矩。

在家赋闲，有一日他从市立图书馆借阅青花瓷的史料回家。暮色时分。走到巷口，准备骑自行车回家。突然从灌木丛中钻出来一只大大的虎斑狸猫，碧绿眼珠一动不动地凝视着他，与他对峙。

他转身走开，猫在后面轻悄地跟随，然后发出喵喵的柔软叫唤。他大约走了一百米远，停下来回头看它。它在距离一米处，也停下来蹲在地上。他走近它，蹲在它身边，抚摸它的头顶。它温驯地趴伏着，丝毫没有畏惧，用脸蹭他的手掌，舔他的手指，分外亲昵。这流浪已久的野猫虽然看起来瘦而脏污，却依旧有一身美丽的虎斑纹，警觉而野性，并不萎靡。左腿略有残缺，走路的时候缩起来不能着地。

他抱它起来。它就趴在他的怀里。温热的充满柔情的身体。他突然觉得自己似乎可以带它回家。他已经是个成年男子，可以有决定自己生活的能力。于是把它放进自行车的车兜里。但是大猫飞快地跳下车兜，窜进旁边的草地上，依旧距离约一米处。蹲在那里一动不动地凝视着他，喵喵地叫唤着。

他与猫，就这样在暮色中长久地对望着。不能走近。四目相对。他说，它流浪久了，宁可在野地里食不果腹，住无居所。它对人的感情，不足以令它愿意放弃这种生活方式。即使怜悯它，不能帮助它。爱它，不能改变它。我无法占有它。那么即使某天它死在野地里，我将会因为自己的懂得，不会觉得有任何难过。就在这一个瞬间，我说服了自己。于是我决定离开。

他骑上自行车离开了巷子。他说，这一刻，猫的出现，让我说服了自己。我相信内河已经死去。

半年之后。怀孕的良受，反锁在卧室里吞服安眠药企图自杀。没有任何预兆。他们一直平淡度日。两个人相敬如宾，从不争吵。她从未在他面前哭闹或撒娇，没有掉过一滴眼泪。甚至未说过一句重话。纪善生是个值得羡慕的丈夫：富有、顾家、温和、洁身自好。但是她几乎吞光了整整一瓶药片。昏迷不醒。送进医院之后，及时救治回来之后，孩子已经流失。

他问她为什么。她没有说明。她的自杀企图，已表明她对他无法解决的心灰意冷。彻底厌倦他，附带厌倦未成形的孩子和自己的生命。善生，有时候我看见你默默坐在角落里，你都不知道自己在流泪。在你的生命之中，有哪些是无法说明无法解决的问题？我知道那些问题与我没有任何关系。你的生命也与我毫无关联。你像坚硬的石头伫守原地。我对你的感情，是盲目撞过来的鸡蛋，注定粉身碎骨。

她说，我为自己感觉悲痛。她要走，他没有挽留。他不挽留任何一个要从他身边离开的人。他像一个隐藏了多年的凶手，明白终究要回转面对犯罪现场，心里没有畏惧，反而是一种释然。协议离婚。分给她大笔存款，足够让她安顿生活。他的第二次婚姻未曾维持到一年。

他说，我终于觉得自己彻底地老了……内河从不曾与我讨论过死亡。她不爱谈论生死，显得生命力旺盛。总是在行动和尝试，鼓足勇气再次出发再次跌倒。不知道停止。不畏惧创痛和伤害。也许她自认这是代价所在。我想她的内心早有预料。所以对死亡有一种顺从。而我有时早晨醒来，心里万念俱灰。这种感觉深深渗透至血液和骨骼，仿佛身体和意识在虚无感中纷纷碎裂。我在镜子中看到自己。我只不过是一个在虚妄欲望和幻觉中起伏的中年男子。

于是他决定去墨脱看望她。在她去世已将近两年的时候。

「9」

因为善生，你的整个人是一个巨大的伤口。你不能被触碰。你带着那个伤口感觉耻辱，不能够接受自己。你根本不爱自己。她曾经这样对他说过。在某个时刻里她是强盛的，当她站在他的身边，像一面清清亮亮的镜子，让他伸出手，触碰映照在镜子里面的那张脸。那是一张十三岁少年的脸，神情淡漠，总似与世间有隔膜，因此寡言落寞。缩回手的时候，他在镜中看到二十年后的自己。

这张中年男子的脸，因为天生相貌和保养妥当，看起来依旧轮廓壮丽。你这样美。善生。你是一个好看的男子。他从小习惯在异性的赞美和注目中成长，冷着脸从她们的议论纷纷中走过，心里却并不喜爱自己。如果外表被先行作为自身价值评断的第一要素，对一个少年来说，会有自卑。在学校里收到邻班女生递过来的情书时，他面无表情，内心却有肿胀的恼羞。

她一开始就站在离他最近的位置，不容他有半分迟疑。春日阳光淡泊的午后，出现在班级里的陌生女孩，老师让她在黑板上写下自己的名字。她转过身，努力伸长了手臂，来回选择，最后在黑板左上角一个偏僻的位置里，写下笨拙幼稚的三个字：苏内河。一笔一画，认真执著。他看到她手腕上戴着一只粗重的圆环形银镯子，那只镯子在她的手腕上起落。再转过身来，她穿白衬衣、蓝色布裙，光脚穿着一双球鞋。粗粗的麻花长辫子拖在胸前。眼睛湛亮。

那一刻，他就坐在讲台下面的最后一排位置。他的手里拨弄着一支钢笔，漫不经心地打量前面略带拘谨的少女。他未曾想到这个人的生命将会一直与他并行前进。直到完结。仿佛她的灵魂就是从他的肉体之中分裂出来的一部分。仿佛他们从未曾离开。

十三岁的苏内河，即使再过二十年，依旧会是同一个样子。他知道自己看到的轮回之前的她，和轮回之后的她，将会是同一个样子。她的恒定性在于构成她身躯和灵魂的质料，是他不得融合无法理解却触手可及的物质。他触摸到她的温度，伸手进去，穿越而过。这些温暖而透亮的胶质，伸展自如，却从来不能被掌握。它们仿佛是经由漫长的不为人知的泪水和留恋胶着凝固而成，最终冷却成形为一面清清亮亮的镜子，让她站在他的对面。他伸出手，抚触在上面。看到他与她。

她始终一样。他的少年与他的老去分成了两瓣。他们肩并肩站在一起，看着前方就如同看着彼此。这是他们穿越数十年寂静的时间之后，用以忘却和记得的姿势。

「10」

最后一段路途，翻越嘎隆拉雪山。一路沿着厚厚积雪上踩出来的脚印前行，岩石陡峭滑溜。雪沙在一边缓缓滑行，似将有雪崩来临。但长达十余天处变不惊的路程，已使他们见多不怪。置身其中，静观其变。海拔越高，呼吸越困难。大雪的反光使眼睛模糊不清，酸痛难忍。他们抵达峰顶的山口，看到那里插着一面写有祈祷文的残旧经幡。山的背面，是被阳光照耀着的茫茫大雪覆盖的坡谷。底下铺展一条开阔平整的大公路。在那里就能搭上开往波密的便车。

波密的中心广场，阳光灿烂。他们扛着破旧庞大的背囊下了车子，被路人注视围观。他们仿佛刚刚从另一个世界空降到此地，略带紧张和笨拙地面对着人来人往的大街。潮湿破烂的胶鞋，绑腿松垮散乱，防风外套和裤子上裹满泥浆。面容黝黑，风尘仆仆。无人可以想象得到，两个小时之前，他们刚翻越雪山下来。走过死亡边缘安全着陆。所有的危险和困境，已经消失。置身在便利热闹的县城之中。周围有了汽车，有了食物，有了人群。有了一切喧嚣的俗世气味和声响。

她做的第一件事情，是在路边小摊买了一双五块钱的黑色布鞋。手工纳的厚厚棉底，干燥洁净的夹层。她在路边，一层层拆下绑腿，脱下军胶鞋和裹在袜子外面为了防雪水渗透的塑料袋子，脱掉袜子，把所有肮脏的鞋袜布条一起扔进路边的垃圾筒。然后她光脚穿上那双新布鞋。脚踝上的伤口已经收敛，红色伤疤突兀而肿胀。他们抵达了整个旅程的终点：走出与世隔绝的大峡谷，返回人间。她抬起头看他，两个人百感交集。一时默默无言。

开往拉萨的中巴车走夜路。深夜十一点，翻过海拔将近6000米的米拉山口。仅被两束车灯光照亮的漫漫山路，盘旋蜿蜒似没有尽头。窗外夜空，星光明亮低垂。他们坐在最后一排的位置上，周围被拥挤的行李堵塞。不能移动身体。车厢里的空气闷热污浊。她把头伏倒在背囊上艰难入睡。在缺氧煎熬的状态下，浑身燥热，头痛欲裂。她醒过来，看到身边的男子在哭泣。

这个一直郁郁寡欢的克制的男子，喉咙里发出轻声的哽咽，渐渐变成这几天压抑已久的沉痛哭泣。他在出墨脱的路上，就如他进入的时候一样，不动声色，神情镇定。没有掉落过一滴眼泪。仿佛只是遵循着他的理性所向，要抵达那个地方，实现他的诺言。只是如此而已。他内心的情感，并不向人开放。

她在黑暗中起身，强忍着头痛和不适，抚摸他的脸。他的脸上都是眼泪，他不遮掩自己的脆弱，并没有任何狼狈。也许曾经他的生命里有一个可以相对肆无忌惮流下眼泪的女子，他有属于安全的回忆，即使她已经消失不见。

她用手指触摸那些温热的发亮的眼泪，把他的头抱过来，揽进怀抱里。夜里颠簸的长途客车。已经完结的旅途。她不知道该如何安慰他。也许他不需要任何安慰。也许他已经获得最为深沉和彻底的安慰。这将是始终只属于他们各自的事情。他们即将各奔前程。

她抱住这个在哭泣中身体微微颤抖的男子，轻声说，我只要知道以后你要去往哪里。善生。

终 殊途同归

我遇见庆昭，是在云南大理。那是我生活中的一段低谷，没有工作，百无聊赖，在朋友所开的小旅馆里闲住。每日无所事事，只为打发时光。我的朋友美术学院毕业，曾经在油画界略有声名。即使他决定退出江湖，只想在小旅馆里维生度日，依旧在我眼里是一个有天分的画者。他在大理已经隐居多年。

那天，他陪我去集市买蔬菜，突然对我说，我见到一个朋友也在这里。她不常过来。我想介绍你们认识。他一向知道我不愿意与陌生人来往，这次主动提起，肯定有他的理由。于是我便跟着他走向前去。

我看到一个女子，穿着和当地人无异的斜襟盘扣上衣，是洗得发旧的深绿碎花棉布，还有手制绣花鞋。盘越南髻，戴一只式样复杂的银镯。皮肤粗黑，没有任何化妆。身边倒是非常热闹。撑着一把伞，伞下是个模样精乖的幼童，一只金黄色大狗蹲在身边。她刚刚把一筐苹果搬到车子的后座，支起身在雨中给自己点了一根烟。

朋友说，庆昭，今天过来买菜吗？他的神情对她很尊重。

她说，是。她的声音很轻，眼睛看起来镇定沉着，但笑起来的时候，却又有一种孩子般的天真羞涩。很难当下感觉到她的真实性情。

这是我从北京来的朋友。下次可以带她来你海东的房子看一看吗？

可以啊。欢迎。

就这样打个照面，招呼之后，她便上车离开了。

我没有告诉朋友，我是认识她的。她曾经是个颇有争议的写作者，后来却突然不再写任何东西，同时从所有人的眼睛和嘴巴里失踪。大家都不知道她去了哪里，在做什么。总之在写作的圈子里，已经完全没有这个人的存在。这四五年来也没有任何音讯。对出版商或读者来说，新书新作家层出不穷，始终前赴后继波涛汹涌。一个人的失踪，很容易被忘却。只是偶然在书店，还看到她的作品集在售卖。现在才知道她原来早离开了北京。

很久之前，偶然的机会，在北京我曾见过她。一个大出版社的年终聚会，邀请一些知名作者和评论家来聚餐。很多人踊跃地联络感情，高谈阔论，只有她独坐一隅，如同一个来自另一个星球的访客，对身边的喧嚣场面和陌生人群，没有任何隔膜，却也丝毫不存在交流的台阶。一言不发，默默地吃饭。周围的一切，仿佛只是路途风景，只需眼观耳闻，不需要介入其中，也不必放入心中。

我那时没有读过她的书。作为同行，我不愿意去关注一个正红极一时的作者的作品，即使这态度里有着相轻的主观性。她很少出来，和人疏淡。但那时北京圈子里偶尔会流传关于她的若干流言，这与她不喜欢出现在公众面前是有关系的。但是我见到的那个人，清净坚定，并没让我觉得失望。

我料想如果对她提起那次聚会，她大抵会微微皱起眉来思索，然后直接地说，抱歉，我不记得了。她自然不会记得我。也不会记得随意出现在她身边的任何一个人。虽然她看起来这样谦和平易，没有任何骄矜。但这种骨子里的傲气，是让人感觉有压力的。因为这是一种非常断然清楚的自知之明。比任何的盛气凌人都更为剧烈，且带给人挫折。

朋友在旁边轻声说，她来得比我早。我曾经还是她的读者。每年清理书架，那几本旧书还是一直放在上面。

我说，见到自己的偶像现在变成一个拖儿带女的家庭主妇，心里又有何感想。

他说，很欣慰。她的选择很好。你想，当任何一个人，不管这个人是男是女，是快要四十岁，还是刚满十五岁，是正在读高中，还是已经读完博士，都在看一个年轻女子的小说，她被误解误读的可能性会有多少……任何一个写作者都是寂寞的。

我一直没有去海东。但是已经打算回去北京。在小旅馆里几乎已度完整个冗长雨季。客厅里经常有一帮日本男人混杂着躺在炕上裹着棉被看乏味至极的足球，闷头打完一盘接一盘的桌球。半夜饿了，便走去街头的烧烤摊买韭菜和带鱼串吃。大理的烧烤又辣又咸。坐在摊子边的小板凳上，老板娘有时闲闲过来搭几句话，因为我的寡言也觉得索然。

那日凌晨，在街头看着雨水渐渐停止，直到变成散落的细微雨丝。天空有一道洁白的云层出现，远处苍茫山脉也清晰起来，空气中有兰花幽香。酒略微喝得多了一点，脚步摇晃不稳，走在回旅馆的石板道上。突然觉得该回去了。结束掉这流落在落寞小镇里的生活。

临行之前，才找到理由去见庆昭一面。我知道见到她的机会不会太多，或者说只会是这样的一两面。一个好人或者一个有趣的人出现的时机向来是短暂的。需要交往的经常就是一帮无聊之徒。这也是生活的一条规律。我知道我对她有留恋。虽然我完全得不到通道靠近她的世界。

那天却是意外的晴朗。朋友开车送我到海东。走过狭窄的泥石小道，看到海边的大房子。是钢筋结构的，采用青砖和原木雕花，样式华丽大方。大门处放着石刻的小小佛像。庭院里引了水流，种着疏朗有致的植物，有松柏、茶花、大盆兰花。架起的玻璃走廊，可以晒太阳，远眺大海。客厅的整排落地玻璃窗之外，是波光粼粼的大海。海边岩石旁有大片杜鹃和灌木。野生的仙人掌。古老大树在风中发出声响。

她起码养了五只以上的猫。美国短毛、英国短毛，还有狸猫。那些漂亮的大猫安静地闪现在庭院里，时而趴在阳光下睡觉。我自然是眼目震惊。也许她放弃了写作之后，把全部的审美和想象力都放在了实际生活之中。

朋友有事先告辞离开。庆昭为我泡茶，是上好的普洱茶。她依旧穿着绣花鞋子和斜襟布衫。她说，你喝茶，稍等我一下。我在做的几根串珠项链今天刚好有灵感，我先去把它们弄完。她的姿态自然，与我丝毫没有生分。我说，你去吧。我晒晒太阳就很好。躺在庭院角落里的一张沙发上，温暖干爽的阳光照耀着头发和脸，于是我脱掉了鞋子，侧身躺上去。隐约还能听到潮水翻动的声音。孩子和猫曾经靠近我，在周围活动。而我心神安定，不知不觉睡了过去。

醒来的时候，已经是下午四点左右。阳光换了方向。我的身上多出来一条羊毛毯子。男孩被叫进了房间读书。庆昭坐在沙发的另一端，怀里抱着一只猫，看着庭院里繁盛而寂然的花草，在抽烟。她抽烟的姿势大方而落寞，轻轻吐出烟圈吸入鼻腔，再吞入喉咙。仿佛不管是坐在小村的庭院里，还是坐在高级餐馆里，她的神情都会一样的平淡自若。

我说，每天你在这里做些什么？

早起，侍弄孩子、花园和宠物。去集市买菜，做一日三餐。帮助邻居和社区做些事情。手工制作一些首饰，有一批客户定期来买。不需要靠此谋生，所以只是为兴趣做事。

我说，以前你就想过自己会这样生活吗？

她说，想过。我知道自由和平静需要先付出代价，所以有好几年努力工作，从未懈怠。获得独立的经济基础，便可以遁世。遁世需要做事。两者调和，才能获得人生的冠冕。这是一个喜马拉雅山的圣徒说的话。我一直想离开城市。也不需要任何人记得我。

晚餐是新鲜的蚕豆，洱海的活鱼与豆腐炖汤，还有在房子后院田地里摘下来的蔬菜。米饭清香可口。最后一道甜点是焦糖布丁。庆昭自己在家里教育和照顾孩子。她的男人没有出现。朋友对我说过，他们一直未曾结婚，只是同居。那个男子姓宋。平凡普通，但对她爱护照顾，坚韧不移，甘愿做她背后的隐形人。实在是非常难得。

她留我住在家里，带我去看客房。大玻璃窗外是礁石和一棵古老的桂花树。床上放了电热毯。她说，我有一些东西给你。她拿出一只描着牡丹和鹦鹉的漆器盒子。打开来，里面有一本笔记本、一些书信和字稿。一本一九八二年版的《辩证法史》。她说，这是我保留了很长时间的一些东西。现在我想送给你。我不准备再收着它们。想你可以来读一读的。她轻轻地笑，人老了，该负担的东西越少越好。

我拿出那本笔记本。一本陈旧的粉白绢面的笔记本。一些繁杂而琐碎的摘录。有些是从阅读过的涉及各种学科的书籍中所得。断续的不连贯的诗歌及日记。撕下一些图片或杂志资讯页面夹在其中，包括植物、食物、人像、地方志、设计素材等。偶尔夹杂一些线条质朴的铅笔素描，刻画建筑或小物体的细节。用圆珠笔抄下的潦草小字。我随意翻了几页，看到一段古伯察神甫对十九世纪的拉萨的描写摘录。

我说，你去过拉萨?

她说，是。我在一场疾病过后，在那里停留了两年。认识了一个男子，与他一起去墨脱。他叫纪善生。他去看望他的朋友。那些书信和字稿是他们的。还有一些照片也在里面。

我说，我知道墨脱。据说那是一个莲花隐藏的圣地，曾吸引很多人步行漫长道路前往和迁居。

是。那条路途非常艰难。

我翻看那些信件，有些是用铅笔写的。与庆昭不同的字迹一律向右边微微倾斜，字里夹杂着一些小漫画插图。信纸很凌乱，有发黄的再生纸，有香烟壳背面，有电器说明书，有西餐厅推荐菜卡片……那个女子仿佛是随手拿起东西就写信。

她说，这个写信的女子叫内河。我没有见过她。她仅存活在一个男人内心之中，或者是他的幻想之中。无从得知。那个男人与我一边跋涉在峡谷森林之中，一边检索他的回忆。我们的旅途结束，他的回忆也被清空。他替我打开一道时间的门。那趟旅行，也许是发生在我身上的为数不多的奇迹之一。我一直相信生命是有奇迹的。它们是上天赐予我们的礼物，只分发给心有天真和勇气的人。

她把那本旧书递给我，说，这是那个男子留下的东西。

但是为什么要把这些东西给我，庆昭。

你知道，我在这里已几乎不接触外界的任何人。我和写字的人没有交往。刚好遇见你。我喜欢你。她坦然而温和地看着我，你很寡言，但是内心分明厚实。我喜欢心中隐藏着一面海水的人。我能够分辨。

有些人即使在认识数年之后都是陌生的。彼此之间总似有一种隔膜存在，仿佛走在河的两岸，遥遥相对，不可触及。而有些人在出场的一瞬间就是靠近的。仿佛散失之后再次辨认，大脑皮层里存留的记忆依旧数据分明，没有差错。那种近，有着温暖真实的质感。可以刚刚见到，就与之拥抱。心里有熟悉的言语，待与他诉说，又并不焦灼急迫……即使彼此的路途交汇之后也是各有终点。我在拉萨邂逅善生，我与他都是晦涩内向的人。但是我们彼此确认，能够开始旅途，互相交付内心回忆。这是一种直觉。

你与他还见过面吗?

回到拉萨之后各奔东西。再未曾见到。与某些人的缘分，就像在夜色中开的花，不能见到阳光。黎明之前即自行默默凋谢，且将永不再开花。那是属于月光和阴影的情缘。

她盘腿坐在地上的蒲草垫子上，点了一根烟。说，我和善生分开之后，决定离开已经住了两年的拉萨。旅途之后，身体因为长途跋涉，感觉有了生机。减掉体重，呼吸清澈。于是独自坐长途车出青藏公路，抵达格尔木，转车到敦煌。在那里看了一天的莫高窟。

一路颠簸。在夜行的长途客车上睡觉，脑子里不断浮现一去不复返的森林路途。那些漫长的几乎无法到底的路途，有时穿行在不见天日雨水浸没的昏暗森林里，有时又迷失在高山之巅白茫茫云海雾障中。泥径有野兽的寂静足印，两旁草木留着它们皮毛的气味。即使在夏天冰雪也不融化，花儿就开放在雪中……我恍然觉得自己是个死里逃生的人，或者已经在那里死过一次。便可以理所当然地重新活一遍。

在敦煌，整整几天都沉浸在带有神性的古老壁画里。印象深刻的是，看到第217窟。南壁的法华经变是根据《妙法莲华经》描绘的，其中有一幅化城喻品，描画着山峦、瀑布、树丛、河流、丘陵。花草烂漫。一队疲惫的旅行者正在朝一座华丽的宫殿走去。其实它所要讲述的故事，是旅人的路途艰苦荒凉，备受猛兽攻击和险恶威胁。他们身心俱疲，想走退路。于是旅途的驱动者做了法术，在荒野中幻化出一座城池，让他们进去休憩，以继续前行。其实那宫殿的一侧就是陡峭高耸的悬崖，河水湍急……

房间里寂静一片，我听到自己的呼吸声。她顿住了声音，似仍停滞在面对壁画的那一刻震慑里面。然后她轻轻地说，走出了那座城池，还是要继续赶路。生命就是这样充满幻觉。始终有希望。也始终无望。我突然想到，我与善生、内河，不过是路途上注定的失败者，但是我们却必须拼尽全力，走过此道。生与死在此地根本不具备任何意义……人生油灯将尽，而夜色无垠。

她熄灭了烟头，默默起身离开。

第二天早上离开海东，庆昭亲手做的早餐是红豆糯米稀饭。我惊喜能够吃到浙江风味的食物。吃完饭，便告辞，准备搭中午的班车去昆明，然后直接飞回北京。朋友开了车来接我，我与他们挥手道别。她嘱咐，你可以环绕着洱海兜一圈再回到古城，记得留意看一路的云。把车速放慢。她站在海边房子的门口目送我，直到车子拐弯。孩子、大狗、猫围绕在脚边。这个素面朝天、布衣赤脚的女子，看起来全然云淡风清。仿佛已经忘记了她所经历过的所有的事。

我在车上翻到笔记本的最后一页，看到那里的文字：

凌晨时分，她听到房间里细微声响。仿佛是同室的陌生男子在黑暗中起身，摸索着穿上衣服，打开门走出房间。微光清凉，他身上的白棉衬衣在门角倏忽不见，如同飞鸟在夜空掠过的羽翼，没有留下痕迹。日玛旅馆窄小的木楼梯，踩上去咯吱作响，承受不住负担的重量。睁开眼睛，侧耳倾听。窗外有沙沙的雨声，像小时候养在硬纸盒子里的蚕，蠕动在大片桑叶上，彻夜进食。旺盛而持续的声音。雨水的声音。

她看到这个男子。他拎起背囊，俯身过来。从窗帘后投射进来的天光，使房间里弥漫着清冷的灰蓝色光芒。他抚摸她头顶的头发。转身离开。她仰面躺在那里，躺在这晨曦的蓝光之中，沉默地听到他关上房门的声音。走过走廊。走下楼梯。足音消失。他们在高原城市上告别，仿佛离开破碎的岛屿，各自投身汪洋大海。

他是变身来源于另一个时空的生命。一株失踪于晚石炭世热带森林的畸羊齿植物，从岩页化石中被临摹，然后复活。细而寂静的叶尖。独立不能被参照的意志。他将在时间里失踪，杳无音信。

她在梦中见到凌晨雨水中离开房间的男子。她再次寻觅他的踪迹。灰色败落的高层公寓楼，在空无一人的街区。房间在走廊尽头。南面是卧室。一张铺着白色床单的单人床，有英国风格的花朵图案的墙纸，枝叶藤蔓缠绕在一起，轮廓黯淡。墙上有一扇粉漆斑驳的木门。推开它，是狭小的浴室。玻璃窗外是城市石头森林的楼群顶部，此起彼伏，仿佛即兴堆垒而岌岌可危的积木，随时都可推倒。白色窗帘被吹到了窗外，迎风飘扬。天空蓝得耀眼。一轮血红太阳闪烁出灼热毒辣的光芒。

男子全身赤裸地躺在放满了水的浴缸里，左手臂耷拉在浴缸边沿。血顺着他的手腕、掌心和指尖往地板上滴淌。开裂干燥的灰白色实木地板，吸吮这新鲜的血液，来不及渗透，凝固成黑色血斑。他的右手藏在深水之中。包裹着他的水是暗红色的，散发出甜腻黏稠的芳香。他的头后仰靠在墙壁上，略向左倾斜。眼睛微微开启，没有任何表情。未剃除干净的胡须。黑色毛发依旧留有水迹。

她在梦中见到了他的死。仅有的一次。看到他还没有来得及老去，死在不知道时地的阳光底下。整张脸正对着太阳，被阳光照耀得金黄一片。仿佛夏日田野里最后一枚充沛饱满的向日葵花盘，带着它对光的所有向往和追忆。如此。寂静无声地死去……

我知道在余下的时间里，我将会仔细阅读这本笔记。我又翻开那本《辩证法史》。封面上有四分之一的暗蓝和四分之三的灰白色块，用白色细线分界。纸张在经历二十多年时间的抚摸之后，干燥发黄。“按照普遍的自然规律进行的机械的发展是宇宙结构的起源……”第一章是关于伊·康德的论述。他的注意力似乎一直停留在第一章，有潦草的字迹和画线。其他页面还保留着空白。

书中夹着一张报纸剪贴，是西藏当地报纸的一则小通讯。二〇〇七年政府将重新修建前往墨脱的公路，波密和墨脱之间很有可能会通车。不知道剪下报道并保留旧纸的人是庆昭、善生还是内河。但是这一切并不重要。与世隔绝的小村，会因为通路而繁荣和发展，被现代的文化和经济渗透，最终变得世俗热闹。而曾经穿越峡谷徒步抵达它的人们，他们的回忆，将随着生命的流逝变故而湮没。

世间也许每穿越一百年，就会有消亡和变更。没有人会再记得那些行走者和他们的道路。包括他们的言论和作为、卑微和付出、失落和挣扎，都将在时间里如尘土般寂静。全新的世界即使面临破碎也必须要建立。就如同某天进入墨脱的小路会因为废弃而被树林藤蔓覆盖，莲花状的高山之中的村落会蜕变成繁华县城。如同某天高原再次变为海洋，山脉沉没于海底，冰雪消融，大河入海，一切消失不见。地球也最终消亡……

也许只有一种存在天地之间超越天地之外的力量，才能够永久地让人信服。愿意相信为它轮回的生命之道。这也是人所能获得的慰藉和信念所在。

车子在狭小弯曲的山道上行驶，朋友记得庆昭告别时的嘱咐，把车子开得很慢。沿着海边，一路看到不同形状、色泽和光亮的云。印象最深的是路过一座岛屿，看到僻静的小山村。大片绿色田野，开满金黄的油菜花。在山腰处堆积大片大片厚重的云层，太阳被遮挡，却有阳光如光柱一样倾泻下来。又粗又大的白色光柱，一束一束泻落，笼罩村庄、山峦和海面。仿佛是来自天上的路途，可以超脱人间所有的悲喜和得失而去。

我长久沉默地凝望着那些云朵，心怀感恩和谦卑。想来庆昭一定重复地看过无数次这样的景象，但依旧每一次都被这样的美和尊严所折服。

2014年4月 修订

『初版序 柒种』

[壹]

这是一本以真实地点为背景的长篇小说。既是小说，说明它完全来源于虚构。因为虚构，地点产生新的暗示。仿佛所写的此地，另有他方。它和真实的关系变得微妙。涉水而过，投奔岸的另一边。

一张《喜马拉雅》的原声碟，是在拉萨的一家小店里购买的。在写这本书的时候，前半部分，我塞上耳机，大部分时间听的是《喜马拉雅》的第二首“Norbu”，有时是第十一首“Karma”，两段曲子伴随很长时间。它们能让我迅速平静下来，进入状态。音乐带来的回忆隧道，连接蓝天烈日、冰雪清泉，以及莽莽峡谷中抵达的偏僻角落。在高原地区与自然血肉相连的深刻感受，是一种植根。我知道，它对我的人生非常重要。其重要性，超过我在不同的城市里停停走走所经历的众多经验。超过我所做过的许多事。

写到书的后半部分，停止了在写作时听音乐的习惯。穿越过那条隧道，抵达记忆、想象和理解的核心。于是写作最终需要的只是静默。

[贰]

墨脱。它是地图上的一个标识。在地理杂志里看到关于它的报道，是很多年之前。一幅照片，赤脚的背夫背着货物走在森林之中。泥泞沼泽。树枝藤蔓潮湿交织。那段文字里写道：此地曾被称作莲花隐藏的圣地。如果不经历艰辛的路途，如何能够抵达美好的地方。神秘的象征。它所发生的意义。是一种指引。

在去往雅鲁藏布大峡谷的路上，曾经以为自己会死去。晚上在山谷中的木头棚子里留宿，临睡之前，会问自己，明天是否能够依旧活着赶路，而不是被塌方和泥石流砸死。每天都是如此。这段经验，使我知道自己已经与以往不同。

墨脱的路途非常危险，不要上路。这是我必须要提醒的。

[叁]

如果任何一段旅途，都是一条主动选择或被动带领的道路，那么它应该还承担其他的寓意。是时间流转的路途。是生命起伏的路途。是穿越人间俗世的路途。也是一条坚韧静默而隐忍的精神实践的路途。

有人说众生如同池塘中的莲花：有的在超脱中盛开，其他则被水深深淹没沉沦于黑暗淤泥中；有的已接近于开放，它们需要更多的光明。在这本小说里，写到不同种类生命的形态，就如同写到不同种类的死亡、苦痛和温暖。他们的所向和所求，以及获得的道路。如果任何路途必须获得终局，那么它应该被认作是一种顺乎其道的安排。

莲花代表一种诞生，清除污垢，在黑暗中趋向光。一个超脱幻象的新世界的诞生。

[肆]

这一本书，有关寓意，有关心灵的历史，有关人所走上的路途。而人所做出的努力，通常是未尽。也许这已经是结果一种。莲花。这个名字，非常映衬。

[伍]

所有图片都是用数码相机所拍。因为大雨和路途艰辛，图片极少。且看到美景奇观，更不愿意拍照。镜头会扭曲和减弱他们的美，自身存在才最为完好。这些图片只是一些印记。而我的回忆并不需要它们。

[陆]

我知道你一直在看我所写的字。从我的第一本书到这第七本书。一个作者的写和一个读者的读，如同两个陌生人的内心开放。直到现在，我仍旧看到自己在写着的，是写在水中的字。

我一直认为小说应该代表着一种内向自省，代表对表象的超越，它能够扩大心灵的范畴，增加对人性和事物诸多可能性和复杂性的理解。它带有个人气质，即使面临误解和贬谪，仍可端然。因对创作者来说，其根本是一种寂静的个人经验。是他的道路。对读者来说，亦是如此。

我希望对你而言，这本书值得阅读。

[柒]

谨以此书，给我的父亲，给我的母亲，给我所爱着的人们。给二〇〇四年和二〇〇五年的十月。一个微小且珍贵的纪念。

2005年12月

庆山

著名作家

七十年代出生

曾用笔名安妮宝贝

出版作品

2000年 1月	短篇小说集 《告别薇安》
2001年 1月	散文及短篇小说集 《八月未央》
2001年 9月	长篇小说 《彼岸花》
2002年 9月	摄影散文集 《蔷薇岛屿》
2004年 1月	长篇小说 《二三事》
2004年 10月	摄影图文集 《清醒纪》
2006年 3月	长篇小说 《莲花》
2007年 9月	散文及短篇小说集 《素年锦时》
2009年 5月	音乐合作小说 《月》
2011年 3月	主编文学读物 《大方》
2011年 8月	长篇小说 《春宴》
2013年 1月	散文集 《眠空》
2013年 1月	访谈集 《古书之美》
2014年 6月	散文集 《得未曾有》

博客：http://blog.sina.com.cn/babe
微博：http://weibo.com/1162178432
邮箱：orchid711@163.com

果麦

莲花

产品经理｜应凡

责任编辑｜张鸿艳　特约编辑｜范佳倩　陈曦

装帧设计｜董歆昱

内文制作｜顾利军　特约印制｜刘淼

产品总监｜赵海萍

策划人｜吴畏

官方网站 http://www.guomai.cc

官方微博 http://weibo.com/gmguomai

官方天猫店 http://guomaits.tmall.com

图书在版编目（CIP）数据

莲花 / 庆山著. -- 沈阳 ： 万卷出版公司，2014.5
ISBN 978-7-5470-2658-8

Ⅰ. ①莲… Ⅱ. ①庆… Ⅲ. ①长篇小说－中国－当代
Ⅳ. ①I247.5

中国版本图书馆CIP数据核字(2014)第070000号

出版发行：北方联合出版传媒（集团）股份有限公司
万卷出版公司
（地址：沈阳市和平区十一纬路29号 邮编：110003）
印 刷 者：北京新华印刷有限公司
经 销 者：全国新华书店
幅面尺寸：145mm×210mm
字　　数：155千字
印　　张：8.5
出版时间：2014年5月第1版
印刷时间：2014年5月第1次印刷
责任编辑：张鸿艳
特约编辑：应凡　范佳倩　陈曦
装帧设计：董歆昱
ISBN 978-7-5470-2658-8
定　　价：36.00元

联系电话：024-23284090
邮购热线：024-23284050　23284627
传　　真：024-23284448
E-mail：vpc_tougao@163.com
网　　址：http://www.chinavpc.com